D1191111

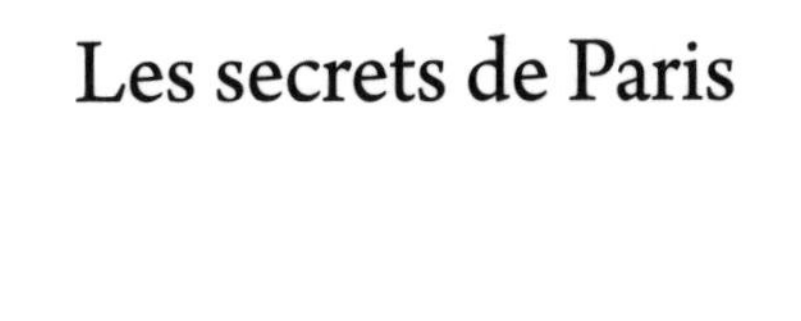

Les secrets de Paris

Clémentine Portier-Kaltenbach

Les secrets de Paris

ÉDITIONS FRANCE LOISIRS

Édition du Club France Loisirs,
avec l'autorisation de La librairie Vuibert.

Éditions France Loisirs,
123, boulevard de Grenelle, Paris.
www.franceloisirs.com

Le Code de la propriété intellectuelle n'autorisant, aux termes des paragraphes 2 et 3 de l'article L. 122-5, d'une part, que les « copies ou reproductions strictement réservées à l'usage privé du copiste et non destinées à une utilisation collective » et, d'autre part, sous réserve du nom de l'auteur et de la source, que les « analyses et les courtes citations justifiées par le caractère critique, polémique, pédagogique, scientifique ou d'information », toute représentation ou reproduction intégrale ou partielle, faite sans le consentement de l'auteur ou de ses ayants droit ou ayants cause, estillicite (article L. 122-4). Cette représentation ou reproduction, par quelque procédé que ce soit, constituerait donc une contrefaçon sanctionnée par les articles L. 335-2 et suivants du Code de la propriété intellectuelle.

© Vuibert, janvier 2012

ISBN : 978-2-298-07289-1

« Pour les autres, Paris est toujours cette monstrueuse merveille, étonnant assemblage de mouvements, de machines et de pensées, la ville aux cent mille romans, la tête du monde. »

Balzac (*Ferragus, chef des Dévorants*, 1833)

Qu'est-ce qu'un secret de Paris ? Un détail ornemental sur un monument, un jardinet invisible aux yeux des passants, un pas de mule dans une arrière-cour, une statue ayant quelque particularité, un défaut de construction, une mystérieuse inscription comme celle qui fut gravée sur le dôme des Invalides par ce parachutiste anglais caché là pendant l'Occupation ?

Cela peut être bien des choses en somme !

Mais bien souvent, le point commun de tous ces « secrets » égrenés au fil des livres consacrés à notre capitale est qu'ils sont cachés aux yeux du public, ou inaccessibles.

Tout au contraire, la particularité des secrets évoqués dans les pages qui vont suivre est que ceux-ci concernent essentiellement des lieux, monuments, objets, statues, éléments du mobilier urbain que les Parisiens ont constamment sous le nez, qu'ils pensent connaître par cœur, mais au sujet desquels leur manquent « la » précision réjouissante, le « supplément d'âme » qui feront que leur regard sur cet objet ou ce lieu familiers changera du tout au tout en une fraction de seconde.

Prenez la girouette de Notre-Dame. L'aviez-vous seulement déjà remarquée ? Si oui, vous êtes une exception, car la plupart des Parisiens ne lui prêtent jamais attention.

Maintenant, question plus difficile : que contient ce coq girouette ? Là encore, une grande partie des Parisiens ne le sait pas. Eh bien, il contient un véritable trésor dont nous conterons l'histoire dans les pages qui vont suivre.

Vous ignoriez que Notre-Dame eût une girouette et que cette girouette contînt un trésor ? Après avoir lu ce livre, lorsque vous passerez au pied de Notre-Dame vous chercherez ce coq du regard et le considérerez très différemment, car vous appartiendrez désormais au cercle des amoureux de Paris aimant assez leur capitale pour ne pas se contenter de l'apparence des choses et de l'information sommaire que distillent la plupart des guides touristiques.

Et si l'exemple du coq girouette n'est pas suffisamment éclairant, en voici un autre que nous espérons plus probant encore : dans la cour de l'Hôtel national des Invalides, tous les œils-de-bœuf se ressemblent et sont agrémentés de trophées militaires. Tous sauf un, qui représente un loup sortant des hautes herbes et fixant la cour. Ce loup au regard fixe, ce « loup qui voit », c'est Louvois, ministre de la Guerre de Louis XIV qui veilla pendant des années à la construction des Invalides et qui a souhaité laisser son empreinte en ce lieu. Naturellement, on peut apprécier la grandeur et la beauté de la cour des Invalides sans connaître cette anecdote, mais alors, on a vraiment perdu quelque chose !

Tous les secrets évoqués dans les pages qui vont suivre sont le fruit d'un long glanage de plusieurs années pour les besoins d'une chronique publiée régulièrement dans le supplément parisien du *Nouvel Observateur*.

Intitulée « Paris Premières », la chronique en question s'efforçait, à partir de « premières fois » parisiennes dénichées dans les domaines les plus divers, de pointer du doigt ces petits secrets parisiens qui, loin d'être aussi modestes, insignifiants, dérisoires qu'ils pourraient le paraître, nourrissent, fondent, étayent au contraire la connaissance intime que nous avons chacun d'une capitale dont l'histoire est d'une richesse inouïe parce qu'elle s'identifie totalement à l'histoire de France.

« Nul ne peut dire qu'il connaît très bien Paris. »

Georges Duhamel

Circulez, il n'y a rien à voir…

Entrez dans la cour du 54, rue de Clichy (9e arr.). Maintenant, regardez attentivement autour de vous. Vous ne voyez rien de particulier ? C'est normal… il n'y a rien à voir !

Il n'empêche que vous vous trouvez dans un lieu d'une très grande importance historique, puisque c'est ici même que l'Anglais Crawford remisa la fameuse berline commandée par Axel de Fersen : un énorme carrosse de voyage dont le volume et le luxe insolites, plutôt que de protéger la fuite de la famille royale vers Montmédy le 20 juin 1791, attirèrent au contraire l'attention sur elle jusqu'à son arrestation à Varennes. Prête le 12 mars 1791, cette voiture verte à six chevaux, dont le train et les roues étaient jaune citron, attendra près de trois mois ici avant d'être utilisée.

À titre de consolation, en marchant vers le Palais-Royal, vous pourrez entrer, au n° 11 de la rue Saint-Honoré (1er arr.), dans la pharmacie où la tradition rapporte que le bel Axel de Fersen, encore lui, achetait l'encre sympathique qu'il utilisait pour correspondre avec Marie-Antoinette, et voir à quoi ressemble de nos jours *La Civette,* établissement où George Sand se procurait ses petits cigares.

Toujours près du Palais-Royal, mauvaise pioche pour ceux d'entre vous qui auraient voulu arpenter la fameuse rue Saint-Nicaise, théâtre de l'attentat contre Bonaparte et rue où Stendhal trouva la mort, frappé d'apoplexie ; cette rue n'existe plus, de même qu'a disparu, au coin de la rue Saint-Roch et de la rue Saint-Honoré, l'hôtel des Trois Pigeons où dormit Ravaillac la veille du jour où il assassina Henri IV. Disparu aussi, dans la même rue Saint-Honoré, le magasin de mode *Dulac* où Mme Du Barry, favorite du roi Louis XV, allait acheter ses mouches.

Circulez, car vous ne verrez rien non plus à l'angle des rues Mondétour et Rambuteau où se trouvait le cabaret de Corinthe, quartier général des insurgés lors des émeutes des 5 et 6 juin 1832, estaminet devant lequel le véritable Gavroche, qui inspira Victor Hugo, fut tué à l'âge de 14 ans d'une balle dans la tête. Rien à voir peut-être, mais il est impossible de passer ici sans penser au jeune héros des *Misérables*.

Apprenez qu'à Paris, il n'est pas un pas-de-porte où il ne se soit passé quelque chose ! Pour peu que l'on se prenne à imaginer un même endroit à travers le temps, on en viendrait même à avoir le tournis, car l'on assiste, en imagination, à l'exécution d'Étienne Dolet place Maubert (1546), au lieu même où se réuniront bien plus tard tous les clochards de la capitale pour tenir leur « bourse aux mégots » (5e arr.) ; on se représente Ferdinand de Lesseps dessinant pour la première fois le tracé du futur canal de Suez dans l'amphithéâtre de la Société de géographie, boulevard Saint-Germain (6e arr.), là où est exposé de nos jours un morceau de corail de l'atoll de Vanikoro sur lequel s'échouèrent la *Boussole* et l'*Astrolabe,* les deux navires de Lapérouse partis faire le tour du monde sur ordre de Louis XVI. Cet objet est conservé dans une vitrine où sont également exposés les couverts de Livingstone ! Tout cela n'est-il pas furieusement poétique ?

Aux alentours du pont de l'Alma (8e arr.), l'exercice tournera au feu d'artifice : l'espionne néerlandaise Mata Hari fut arrêtée au *Plaza Palace Hôtel* qui se trouvait au bas des Champs-Élysées (février 1917), non loin du lieu où fut retrouvé *Le Régent,* diamant volé par des sans-culottes dans le garde-meuble royal (1792), lequel se trouve également à quelques encablures du zouave du pont de l'Alma, près de la flamme de la statue de la Liberté offerte par les Américains. Mlle George, l'immense tragédienne maîtresse de Napoléon Ier, qui demanda à être enterrée dans son manteau de Rodogune (1867), habitait près d'ici, de même que la fille morganatique de Katia Dolgorouki et du tsar Alexandre II ; le tout, non loin du lieu où les barques des légions romaines de Labienus, lieutenant de Jules César, traversèrent la Seine pour aller combattre les troupes du vieux chef gaulois Camulogène dans la plaine de Grenelle (53 av. J.-C.).

C'est comme ça ! À Paris, même quand il n'y a plus rien à voir, il y a encore tout à imaginer !

Premier Empire

Un jeune homme débarque à Paris. Il l'ignore encore, mais un jour il sera le premier empereur à y être sacré. Napoléon sans doute ?

Non pas ! Car Paris s'appelle encore Lutèce, le jeune homme en question n'est pas corse mais romain, il ne se nomme pas Bonaparte mais Julien, celui que l'Église catholique qualifiera d'« Apostat » pour avoir renié le christianisme et fait l'éloge des dieux anciens.

Lorsqu'il arrive à Lutèce en 358, il est « César », c'est-à-dire l'héritier en puissance d'un empire dont Byzance est la capitale. Il a alors 27 ans. Son oncle, l'empereur Constance II, lui a confié la défense des Gaules. Contre toute attente, ce jeune homme passionné de philosophie se révèle un excellent chef de guerre. En trois ans, après avoir repoussé l'invasion des Francs et des Germains, il restaure sécurité et prospérité, fait reconstruire les villes, redémarrer l'agriculture et réduit les impôts.

Lorsque son oncle prétend le priver d'une part de ses troupes pour engager celles-ci dans sa guerre contre les Perses, la population supplie les légionnaires de rester. Les soldats se révoltent, réclament Julien pour empereur et le soir même encerclent son palais. Au matin, quelque part entre l'actuel parvis de Notre-Dame et le Palais de Justice, il est hissé par ses soldats sur un bouclier : c'est la première fois qu'un empereur romain est porté ainsi sur un pavois, à la mode franque.

Grâce à lui, Paris aura été quelque temps la vraie capitale de l'Empire romain d'Occident ; pourtant, nul lieu n'y honore aujourd'hui sa mémoire.

Une ingratitude que les « Lutéciens » de 2012 peuvent faire oublier en se rendant au musée de Cluny (5e arr.) : une statue de leur premier empereur est exposée près du pilier des Nautes, dans le Frigidarium…

Jardins royaux

Clovis aimait les fleurs, mais c'est son fils Childebert qui en planta partout autour du palais des Thermes (celui-ci se trouvait rue du Sommerard, dans le 5e arrondissement, adossé à l'hôtel de Cluny) ; il greffait lui-même ses roses avec son épouse Ultrogothe qui partageait sa passion du jardinage. Deux siècles plus tard, Charlemagne exigeait dans ses capitulaires d'avoir en abondance dans les jardins de ses palais « des lys, des roses, de la sauge, du romarin, et des pavots ». Hugues Capet possédait deux jardins à Paris, dont l'un dans l'île aux Treilles ! (Il se situerait de nos jours du côté du pont Neuf !) Quant aux rois Philippe Auguste et Charles V, leurs immenses jardins célèbres pour leurs treilles et leurs cerisaies nous ont donné des noms de rues comme « Beautreillis » ou « de la Cerisaie ».

C'est sous François Ier que l'on commence à se piquer de dénicher les fleurs les plus rares, qu'apparaissent dans Paris les premiers parterres découpés et cet ornement végétal si particulier que l'on nommera bientôt « boulingrin », en empruntant son nom à un jeu anglais : le *bowling green*.

Sous l'Ancien Régime, pour rien au monde les Parisiens n'auraient manqué d'assister à la « baillée des roses », cérémonie au cours de laquelle chaque année, d'avril à juin, les grands du royaume devaient offrir des roses au parlement de Paris, sur l'île de la Cité, en hommage à la justice de leur pays à laquelle ils se déclaraient soumis. C'était là une bien jolie tradition dont on ne peut se représenter sans sourire la transposition dans notre époque actuelle : que l'on se figure une minute, une seule, nos groupes parlementaires se rendant en rangs d'oignons bailler quelques roses aux magistrats assemblés au Palais de Justice !

Mais pour en revenir aux fleurs à Paris, c'est peu dire de nos rois qu'ils chouchoutèrent leurs jardiniers : dans une ordonnance de 1576, Henri III les appelle ses « bien aimés maîtres jardiniers de la bonne ville de Paris ». Plus tard, Le Nôtre, dont le jardin des Tuileries sera l'un des premiers chantiers, recevra le collier de l'ordre de Saint-Michel, l'une des plus hautes distinctions de l'époque, pour avoir brillamment assujetti la nature aux caprices de son auguste employeur, le Roi-Soleil. Ce même Louis XIV, dont la mère Anne d'Autriche ne pouvait supporter ni la vue ni le parfum d'une rose, n'aimait que les massifs alambiqués et les fleurs violemment parfumées, comme les tubéreuses ou les jonquilles. Il exigeait que chaque pièce du château de Versailles fût agrémentée d'orangers.

Plus champêtre dans ses goûts que ses prédécesseurs, Marie-Antoinette adorait par-dessus tout les œillets et les juliennes, et ce fut sans nul doute aux fleurs qu'elle dut les dernières sensations agréables de son existence prématurément écourtée. À la Conciergerie, sa gardienne, Mme Richard, essaiera de lui en apporter tous les jours et sera punie pour cela.

Avec la mort de Louis XVI et de son épouse, prendra fin le règne du lys bientôt supplanté par celui de la violette impériale. Sous le Premier Empire, Paris va découvrir grâce à Joséphine de Beauharnais des espèces jusque-là inconnues. De son île natale, la nouvelle impératrice a en effet conservé la passion des fleurs : elle se fera rapporter la violette de Parme, la soldanelle des Alpes, le lys d'Égypte ou la rose de Damiette et le jasmin de la Martinique. À la Malmaison, elle va rassembler 250 espèces de roses qui, de jardin en jardin, finiront par coloniser toute la France. Pour les dessiner elle s'attachera les services de Pierre Joseph Redouté, le peintre de la reine Marie-Antoinette.

Délaissons un moment les bacs à fleurs royaux; cela n'empêche en rien de côtoyer l'exceptionnel : le jardin des Missions étrangères, rue du Bac (7e arr.), possède une rose tibétaine absolument unique en son genre à Paris. C'est un modeste missionnaire, le père Soulié, qui l'envoya en France à la fin du XIXe siècle. Du coup, ce joyau porte son nom, la *Rosa Soulieana* !

Grosses légumes

C'est au IVe siècle, dans le *Misopogon* (en grec : « l'ennemi de la barbe »), œuvre de l'empereur Julien l'Apostat, que l'on trouve le premier éloge de notre capitale et la première trace écrite de l'existence d'une culture maraîchère à Paris. Julien y décrit les vignes et les figuiers que les Lutéciens protègent du gel en les recouvrant de paille : « Les habitants de la région ont un hiver assez ensoleillé. Il pousse chez eux une vigne de qualité, et certains sont déjà parvenus à y voir des figuiers que l'on abrite l'hiver, en les habillant en quelque sorte avec des paillons de blé. »

Julien ne dit pas grand-chose des légumes, et pour cause : avant la conquête romaine, les peuples celtes de Gaule ne cultivent que la carotte, les fèves, les lentilles et les pois, et consomment surtout des céréales comme l'orge, l'avoine, le millet ou le seigle.

Paris va connaître, à la Renaissance, un apogée potager qu'évoquent aujourd'hui encore les rues du Pont-aux-Choux, des Pruniers, des Amandiers, des Mûriers ou de la Cerisaie. Il faut essayer d'imaginer qu'en 1690, du côté de l'actuel palais Garnier et des grands magasins du boulevard Haussmann (9e arr.), un vaste périmètre était occupé par une exploitation riche de 600 pieds d'artichauts, de plans de mâche et d'épinards, et de 120 arbres fruitiers !

À chaque primeur son histoire : il y aura l'apogée des petits pois, légumes préférés de Louis XIV, pour lesquels La Quintinie invente la culture sous cloche de verre afin que le roi puisse en consommer en toutes saisons. Toute la Cour s'enthousiasme pour ces légumes. Mme de Sévigné le note ironiquement : « Le chapitre des pois dure toujours ; l'impatience d'en manger, le plaisir d'en avoir mangé, et la joie d'en manger encore sont les trois points que nos princes traitent depuis quatre jours. »

Citons aussi les premières pommes de terre cultivées dans la plaine des Sablons, le premier ananas produit en 1733 par l'orangerie de Versailles, les premières tomates apportées à Paris par les Marseillais montés à la capitale en 1790 pour la fête de la Fédération. C'est d'ailleurs l'un des tout premiers présidents des États-Unis, Thomas Jefferson, qui, ayant découvert la tomate lors de son séjour à Paris, l'introduira dans son pays ; c'est donc depuis Paris que la tomate, originaire d'Amérique du Sud, fera la conquête du continent nord-américain !

Cette tradition potagère de la capitale n'est plus de saison. De nos jours, il n'y a plus guère dans Paris que des jardins d'herbes aromatiques. Très chic, celui des Tuileries (1er arr.) permet aux riverains de couper leur ciboulette non loin du fossé du Louvre, où Henri IV faisait lui-même pousser ses asperges !

Novembre 885

Loin d'être aussi célèbres que les « bourgeois de Calais », les premiers héros de l'histoire de Paris furent les douze hommes qui sacrifièrent leur vie au cours du siège de la ville, entrepris en novembre 885 par quelque 30 000 Normands ; un siège infructueux de onze mois.

En février 886, une crue ayant emporté le Petit-Pont permettant l'accès à l'île de la Cité, ces douze Parisiens se trouvèrent isolés rive gauche, où ils défendaient la tour du Petit Châtelet contre les hordes de Siegfried. Acculés entre la forteresse en flammes et les rogatons du Petit-Pont que n'avait pas emportés la crue, ils furent massacrés. Du haut des remparts, les Parisiens assistèrent, impuissants, au terrible destin de ces braves. Leur sacrifice ne fut pas vain puisque malgré près d'un an de siège, la ville ne fut pas prise. Un vrai miracle, car si l'on en croit le récit que fit de ce siège un certain Abbon, moine de Saint-Germain-des-Prés, les Normands étaient 40 000 contre seulement 200 combattants côté parisien ! Un récit parfaitement objectif, on s'en doute !

Les noms à coucher dehors de nos douze Parisiens auraient pu les priver à tout jamais d'un passage bien mérité à la postérité, mais mille ans après leur sacrifice, le conseil municipal de Paris du 25 novembre 1885 décida qu'une plaque commémorative serait consacrée à ces douze héros du grand siège de Paris par les Normands. Apposée place du Petit-Pont, puis sur la façade de l'annexe de l'Hôtel-Dieu démolie en 1908, la plaque fut alors donnée au musée Carnavalet.

Il en existe aujourd'hui une copie à l'entrée de la crypte archéologique du parvis de Notre-Dame. C'est là que vous pourrez rendre l'hommage qui se doit à MM. Arnold, Eimard, Eriland, Ermenfred, Ervée, Ervie, Gobert, Gozsmin, Hardre, Odoacre, Solié et Uvide.

Inconnus au bataillon

Nous venons d'évoquer les douze valeureux Parisiens qui donnèrent leur vie pendant le grand siège de Paris par les Normands. À leur image, nombre d'inconnus morts en héros, dont nul Parisien ne serait plus en mesure de citer les exploits, ont donné leur nom à certaines de nos rues. Qui sait encore de nos jours que le « Colette » de la rue éponyme (17e arr.) fut un employé de la Compagnie des chemins de fer de l'Ouest, mort en 1893 en sauvant la vie d'un voyageur ? Que l'inspecteur Allès fut un inspecteur de police mort victime du devoir, et qu'Henri Feulard, médecin de son état, mourut victime de son dévouement lors de l'incendie du bazar de la Charité, le 4 mai 1897, incendie qui fit 135 morts et 250 blessés ? Citons encore des héros peut-être plus inattendus : Joseph Crocé-Spinelli (1845-1875), aéronaute asphyxié au cours d'une ascension expérimentale, ou René Caillé, distingué non pour sa mort mais au contraire, pour avoir été le premier explorateur à être revenu vivant de Tombouctou ! Enfin, le plus malchanceux de tous : Gaston Bailly, cet agent de la brigade fluviale qui mourut en essayant de sauver une femme qui s'était jetée dans la Seine du haut du pont Marie. Ayez une petite pensée pour lui la prochaine fois que vous emprunterez la rue de l'Agent-Bailly, dans le 9e arrondissement.

Euro de l'espace

Tout au long de son règne, le grand Charlemagne exigea que la monnaie soit frappée en son palais d'Aix-la-Chapelle. C'est l'un de ses quatre fils, Charles II le Chauve, roi de la Francie occidentale, qui institue la

Monnaie de Paris en 864, faisant d'elle la première manufacture parisienne.

La Monnaie est à la fois la toute dernière usine de la capitale et la plus ancienne institution au monde avec le Vatican, puisqu'elle a douze siècles là où l'État pontifical ne peut en « afficher » que cinq. Et, fait remarquable, en douze siècles d'existence, la Monnaie n'a eu que cinq implantations différentes dans Paris, dont l'une pendant 400 ans à l'emplacement exact de *La Samaritaine*.

La rue de la Monnaie, le pont au Change ou le quai des Orfèvres (1er arr.), rappellent que de tout temps ce quartier brassa l'argent, que ce soit sous la forme d'écus, de deniers, de livres parisis, de louis ou de francs.

Depuis 1775, l'atelier monétaire réside quai de Conti (6e arr.), au bout du pont Neuf. De l'extérieur, on ne voit que le très classique hôtel du XVIIIe siècle ; difficile de s'imaginer que ces murs abritent aussi 2 000 mètres carrés de bâtiments industriels, des ateliers de gravure, des dizaines de presses et des fours gigantesques. Plus de 700 personnes travaillent dans cette curieuse usine où les déchets sont des copeaux de métaux précieux et où de vieux seaux regorgent non de pièces mécaniques mais de futures Légions d'honneur !

Au beau milieu de l'un des ateliers trône une presse à vis de 1805, fondue à partir du bronze des canons pris aux Russes à Austerlitz ; plus loin, dans la salle des monnaies du monde inaugurée en 2006, sont exposées toutes sortes de médailles et de pièces originaires des quatre coins de la planète. Depuis 2011, on peut aussi y admirer une pièce de 1 000 euros sur laquelle figure un « Hercule moderne, héros mythologique présidant à la réunion de la Liberté et de l'Égalité ». 1 000 euros ! Mazette, voilà une pièce à ne pas laisser dans un caddie !

Quant à cet euro tout seul dans sa belle vitrine, que peut-il avoir de spécial ? Eh bien, non seulement il fut réalisé en octobre 2001, soit quatre mois avant la mise en circulation officielle de la monnaie nouvelle, mais il a été confié à Claudie Haigneré et a voyagé avec elle... dans l'espace !

Accidents « bêtes »

À Paris, le premier « accident de la route » incriminant un animal dont le récit soit parvenu jusqu'à nous est celui qui impliqua le jeune prince Philippe, fils aîné du roi Louis VI le Gros, et un vulgaire cochon qui fit chuter mortellement l'adolescent en effrayant son cheval, le 13 octobre 1131. Philippe mort, c'est son jeune frère Louis qui se destinait à entrer dans les ordres, qui dut y renoncer pour épouser Aliénor, duchesse d'Aquitaine, et devenir roi de France sous le nom de Louis VII le Pieux. Déçue par un mari dont elle s'affligeait qu'il ressemblât davantage à un moine qu'à un grand seigneur, Aliénor fit annuler son mariage le 21 mars 1152, privant le royaume de France de l'immense duché d'Aquitaine qu'elle lui avait apporté en dot. Par la suite, elle devait épouser Henri Plantagenêt, futur roi d'Angleterre : et voici comment un vulgaire cochon eut une responsabilité directe dans le déclenchement de la guerre de Cent Ans !

Autre contrevenant animal, l'énorme chien danois du châtelain de Ménilmontant, qui, le 24 octobre 1776, renversa Jean-Jacques Rousseau au lieu-dit la Haute-Borne, vis-à-vis du cabaret *Au Galant Jardinier,* alors que celui-ci revenait d'herboriser sur la colline de Ménilmontant (20e arr.). Dans *Les Rêveries du promeneur solitaire,* le philosophe raconte que tout-Paris le donna pour mort, quand il se rétablissait doucement chez lui.

Après un cochon et un chien, ce sont des chevaux qu'il convient de mettre sur la sellette dans l'accident du duc Ferdinand d'Orléans, fils aîné de Louis-Philippe : le 13 juillet 1842, alors qu'il se rend en calèche à Neuilly chez ses parents, ses chevaux s'emballent, le projetant sur le pavé où il se fracasse le crâne. Transporté dans l'arrière-boutique d'un épicier nommé Cordier, il succombera à ses blessures ; il avait 32 ans. Sur le lieu du drame, près de la porte Maillot (16e arr.), le roi fait édifier une chapelle qui sera déposée pierre par pierre en 1970 et reconstruite derrière le palais des Congrès (chapelle Saint-Ferdinand). L'épicier fut gratifié d'un poste de gardien au château de Versailles.

Enfin, le 19 avril 1906, au débouché des rues de Nevers et du Pont-Neuf (6e arr.), le physicien Pierre Curie, âgé de seulement 47 ans, meurt écrasé par un lourd charroi mené par des percherons. (Décidément, ce lieu paraît maudit : déjà en 1818, sous la Restauration, le char qui transportait la statue d'Henri IV du Faubourg-du-Roule au pont Neuf avait écrasé le libraire Corioux.)

À la suite de ce drame, Marie Curie est nommée professeur à la Sorbonne. On a fêté, le 5 novembre 2006, le centenaire de sa leçon inaugurale sur la radioactivité. C'est la mort brutale de son mari qui fit d'elle la première femme professeur d'université.

Sons de cloches

De toutes les cloches parisiennes, celle de Saint-Merri (4e arr.) est sans doute la plus ancienne puisqu'elle daterait de 1331.

Selon une tradition séculaire, toute nouvelle cloche doit être baptisée et se voit désigner des parrains. Nos cloches ont donc une couleur politique ! Il y a les *Monarchistes* : tels Emmanuel, bourdon de Notre-Dame qui eut pour parrains Louis XIV et Marie-Thérèse d'Autriche, ou la cloche de Saint-Pierre-de-Chaillot, filleule de Louis XVI et de Marie-Antoinette. Sous l'Ancien Régime, toutes les cloches de Paris, y compris celles de l'Hôtel de Ville et le tocsin du Palais qui ne sonnaient pour ainsi dire jamais, sonnaient pendant trois jours et trois nuits pour la naissance des rois, leur mort ou celle de leurs fils aînés.

Les trois cloches de l'horloge de la Bastille, installées en 1764 dans le fronton du bâtiment de l'état-major, pourraient être qualifiées de *cloches Révolutionnaires* puisqu'elles furent conservées comme trophées au lendemain du 14 juillet 1789. Après la prise de la Bastille, elles furent installées dans la cour du 11, avenue d'Eylau dans le 16e arrondissement, avant d'être acquises à Drouot par le musée campanaire de l'Isle-Jourdain dans le Gers.

En fait de cloches, la Révolution eut ses héroïnes et ses victimes : descendues, brisées et fondues en 1793, les deux petites cloches de Saint-Germain-l'Auxerrois, de même que les douze cloches de Saint-Jacques-de-la-Boucherie, rue de Rivoli, et les six cloches de Saint-Séverin, dans le Quartier latin, église qui allait d'ailleurs faire elle-même office de dépôt de cloches. Des sept cloches de la tour nord de Notre-Dame, trois furent fondues, et dans la tour sud, la Marie fut brisée, ce qui représenta le travail de huit hommes pendant 42 jours. Le Bourdon, mastodonte de 13 tonnes qui, lorsqu'il sonne, fait osciller le haut du beffroi de 3 centimètres, fut descendu quelque temps car on craignait que des contre-révolutionnaires ne l'utilisassent comme alarme, après quoi, il retrouva son emplacement initial.

Passons rapidement sur le Premier Empire : il préféra indéniablement à celle des cloches la sonnerie des trompettes escortant les cavalcades de la Grande Armée dans les plaines orientales.

À sa suite, le retour des Bourbons sur le trône de France s'accompagna d'un lot de *cloches Restauration*, comme celle de Sainte-Marie-des-Batignolles, financée par Charles X en personne ; puis, dans les années 1860, Paris aura droit à la *cloche Second Empire* de Saint-Séverin, rapportée de Sébastopol par Napoléon III après la guerre de Crimée.

Le clochetage de l'église Saint-Vincent-de-Paul allait être victime de la Commune : il ne reçut pas moins de sept obus, tous tirés depuis le Père-Lachaise. Retour de bâton avec la *cloche Ordre moral* de Saint-Roch (donnée au Sacré-Cœur après la guerre de 1870, Saint-Roch n'a donc plus de cloche !). Au lendemain de la sanglante répression de la Commune, il fallait frapper les esprits ; aussi fut-on très ambitieux pour le Sacré-Cœur dont le campanile possède l'une des plus grandes cloches du monde : Marie-Françoise, dite « la Savoyarde », fondue à Annecy en 1895, offerte par les quatre diocèses de Savoie et baptisée le 20 novembre 1895. Elle pèse plus de 18 tonnes, soit 6 de plus que le bourdon de Notre-Dame, et donne le *contre-ut* !

Enfin, signalons la *cloche Républicaine* : soupçonné d'avoir donné le signal de la Saint-Barthélemy avec les cloches de Saint-Germain-l'Auxerrois, le tocsin de la tour de l'Horloge fut envoyé à la fonte par la Commune de Paris en 1792 et remplacé en 1848 par une cloche portant sur son pourtour les noms des membres des gouvernements provisoires de la IIe République ! Encore, le tocsin conserva-t-il une cloche : l'église Saint-Philippe-du-Roule, elle, n'en avait plus le 24 août 1944, jour de la libération de Paris, alors que les cloches des églises parisiennes sonnaient à toute volée. C'est en tout cas ce que racontent Lapierre et Collins dans *Paris brûle-t-il ?* Le chanoine Jean Müller, curé de la paroisse, déclara en chaire que la quête de ce premier dimanche de la Libération serait destinée à pourvoir Saint-Philippe-du-Roule d'un clocher et de cloches. Ce qui fut fait après guerre, quoique le clocher fût de taille modeste et les cloches électriques.

En somme, quelle que soit « l'obédience politique » des uns et des autres, il y a dans Paris pour chacun de quoi entendre midi à sa porte !

Du coq à l'âme !

Les vieux Parisiens savent à peu près tout de l'histoire de Notre-Dame ; alors voici un tout petit secret qui devrait faire lever le nez aux plus avertis d'entre eux. Non, il ne s'agit pas de repérer la statue du *Saint-Thomas* auquel Viollet-le-Duc fit donner ses propres traits ! Levez les yeux un peu plus haut encore ! Là, perché à 96 mètres du sol, se trouve le coq girouette de la cathédrale. Personne ne prête jamais attention à lui alors qu'il contient un vrai trésor ! Lors des travaux réalisés sur la flèche en 1925, le gallinacé de métal fut en effet déposé pour être restauré : l'on découvrit à cette occasion qu'il contenait de la poussière d'os. Cette poussière de reliques non identifiées fut remplacée par un tube en étain contenant des reliques des saints patrons de Paris, saint Denis et sainte Geneviève, et l'une des soixante-dix épines de la couronne du Christ.

La couronne en question, conservée de nos jours à Notre-Dame, fut rachetée par saint Louis en 1239 à des banquiers vénitiens auprès desquels elle avait été mise en gage par l'empereur d'Orient Baudouin de Courtenay, dernier empereur latin de Constantinople. C'est pour elle, et pour les très nombreuses autres reliques de la Passion dont il s'était fait l'acquéreur, que saint Louis fit édifier la Sainte-Chapelle. La couronne valait à elle seule plus de trois fois le prix de la Sainte-Chapelle ; saint Louis la paie 135 000 livres, ce qui était une somme considérable pour l'époque : plusieurs millions d'euros ! (La Sainte-Chapelle, elle, ne coûta « que » 40 000 livres !)

En fait, à défaut d'avoir pu délivrer le tombeau du Christ à Jérusalem, saint Louis entendait faire de la capitale du royaume de France une ville sainte aussi courue que Rome ou Saint-Jacques-de-Compostelle pour les précieuses reliques qu'elle offrirait à la vénération des croyants. Il devint donc l'un des plus grands collectionneurs de reliques de la Passion, les faisant rechercher par des frères prêcheurs, sorte d'« envoyés spéciaux » en Orient.

Avant même de faire édifier la Sainte-Chapelle en 1246, saint Louis fit d'abord réaliser une grande châsse en or et argent incrustée de pierres précieuses. L'objet mesurait plus de 3 mètres de haut, des lampes brûlaient jour et nuit devant lui. Le monarque y fera placer ses différents « achats » : un clou et un morceau de la vraie croix offerts par le pape Léon III à Charlemagne lors de son couronnement à Rome en l'an 800, le fer de la lance qui transperça le flanc du Christ, un fragment du saint suaire, le saint sang, le manteau pourpre, l'éponge, la chaîne ou lien de fer, la pierre du Sépulcre, un flacon contenant du lait de la Vierge et le manteau de celle-ci, les langes de l'enfant Jésus, la verge de Moïse et l'occiput de saint Jean-Baptiste... En tout, vingt-deux reliques selon l'inventaire de 1740, dont la fameuse couronne. Ces reliques ont été détruites à la Révolution, à l'exception de la couronne, du saint clou et de la vraie croix.

Aujourd'hui encore, chaque premier vendredi du mois, chaque vendredi de Carême et le Vendredi saint, il est possible d'assister à Notre-Dame à une messe au cours de laquelle des chevaliers du Saint-Sépulcre de Jérusalem en habit présentent aux fidèles ces trois reliques serties dans des reliquaires de cristal de roche pour que l'on puisse les voir distinctement.

Pourquoi des chevaliers du Saint-Sépulcre ? Cet ordre qui est le plus ancien des ordres pontificaux a bien sûr pour mission essentielle le soutien aux chrétiens de Terre sainte, mais il est aussi l'auxiliaire du chapitre de la Cathédrale qui garde les saintes reliques.

Pour l'anecdote, signalons encore que le clou de la Passion du Christ faillit lui aussi être détruit à la Révolution ; il ne dut son salut qu'à la présence d'esprit du scientifique Claude-Hugues Lelièvre qui prétendit devoir se livrer sur lui-même à d'importantes recherches minéralogiques.

Après avoir fait l'acquisition de toutes sortes de reliques, saint Louis devint lui-même objet de reliques, sa canonisation vingt-sept ans après sa mort (bulle de Boniface VIII du 11 août 1297) ayant fait de lui un saint auquel un culte public pouvait être rendu. À sa mort près de Carthage, le 25 août 1270, on avait fait bouillir son corps dans du vin pour séparer la chair des os et l'on recueillit ses ossements dans un riche écrin d'argent. Accueillis à Saint-Denis, ils furent par la suite répartis entre les églises et communautés qui lui furent dédiées : Notre-Dame possédait une de ses côtes, les Filles-Dieu l'un de ses doigts, les Jacobins un os de sa main, Saint-Denis sa mâchoire inférieure, l'os de son crâne et un petit sac contenant ses viscères, la Sainte-Chapelle sa tête… puis un cœur que l'on pensa être le sien, découvert en 1803 dans une boîte en plomb. Quand on pense que, de par le monde, chaque paroisse dite Saint-Louis-des-Français possède une relique du roi saint, cela donne une petite idée de la « parcellisation » dont il fit l'objet !

Au beau milieu d'une multitude de reliquaires, véritables chefs-d'œuvre d'orfèvrerie, d'anneaux pastoraux agrémentés d'améthystes, et de force ciboires et calices tout aussi précieux, Notre-Dame possède et expose également dans son trésor quelques objets bien plus modestes mais ô combien plus touchants, puisqu'il s'agit de la chaînette de fer avec laquelle saint Louis s'infligeait la discipline, ainsi que d'une humble tunique de linon blanc lui ayant appartenu.

Un baudet chargé de reliques...

Moins connues que les reliques saintes, les « reliques profanes » (jambes de Colbert, cœur de Voltaire, dent de Mme de Sévigné, crâne de Descartes pour ne citer qu'elles) sont fort nombreuses dans Paris.

Rapide inventaire des plus illustres « rogatons » conservés dans la capitale.

Le cœur de Voltaire : Bibliothèque nationale, 58, rue de Richelieu (2e arr.). Il se trouve dans le socle de l'original en plâtre du *Voltaire assis,* sculpté par Houdon. À la mort de Voltaire, le noble organe fut conservé par le marquis de Villette, hôte et ami du philosophe. Le marquis fit réaliser à son intention un reliquaire de vermeil et transporta l'objet jusqu'à Ferney, la propriété de Voltaire qu'il racheta à la mort du philosophe. Sur la porte de la chambre de Voltaire où se trouvait le cœur, le marquis fit écrire : « Son cœur est ici, mais son esprit est partout. »

Bien des années plus tard, ce cœur fit l'objet d'une querelle testamentaire entre les héritiers de Voltaire Villette, fils du marquis (le marquis avait une telle admiration pour Voltaire qu'il avait, en effet, prénommé son fils « Voltaire ») ; une si âpre querelle que le ministre de l'Instruction publique, Victor Duruy, en fut réduit à déclarer l'organe « bien national ». C'est ainsi que le 16 décembre 1864, le cœur scellé dans le marbre de Houdon fit son entrée à la Bibliothèque nationale (à l'époque, Bibliothèque impériale) où il se trouve encore.

Le cerveau de Voltaire et un fragment de mâchoire de Molière : Comédie-Française, salle Richelieu (1er arr.). Le cerveau de Voltaire, conservé dans un bocal de formol par le pharmacien Mitouart qui avait participé à l'autopsie du philosophe mort le 30 mai 1778, fut finalement échangé par ses descendants, en 1924, contre deux fauteuils d'orchestre gratuits à la Comédie-Française pendant vingt ans ! Chose amusante, le cœur et le cerveau de Voltaire se trouvent donc à quelques dizaines de mètres l'un de l'autre et tous les deux dans le socle du même *Voltaire assis,* sculpté par Houdon, à ceci près que celui de la Bibliothèque nationale est le plâtre original, tandis que celui de la Comédie-Française est en marbre. Quant au morceau de mâchoire supposé appartenir à Molière, après un petit tour à la Monnaie de Paris sous la Révolution (où l'on avait envisagé de transformer en plâtre les restes des grands hommes pour réaliser des coupes dans lesquelles on boirait à la santé de la nation ; un intéressant projet finalement interrompu par le 9 Thermidor !), il fut offert en 1860 au musée de Cluny par le Dr Jules Cloquet, puis cédé à la Comédie-Française en décembre 1886 par le directeur du musée de Cluny, M. Alfred Darcel.

Les jambes de Colbert. Elles se trouveraient toujours dans son tombeau, sculpté par Antoine Coysevox en l'église Saint-Eustache (1er arr.).

Les cheveux de la famille royale, une vertèbre de La Fontaine, une bague dont le chaton est constitué d'une dent de Mme de Sévigné, un morceau de mâchoire de Marat : musée Carnavalet, 23, rue de Sévigné (3e arr.). Plus sûrement que l'« authentique » mâchoire de Marat, le musée Carnavalet possèderait dans ses réserves la poignée de porte de la salle de bains où se trouvait l'ami du peuple lorsque Charlotte Corday vint l'assassiner.

La tête momifiée et l'auriculaire de Richelieu : chapelle de la Sorbonne, place de la Sorbonne (5e arr.). Là encore, ces différents organes ont connu des pérégrinations extraordinaires, puisque, longtemps conservée au collège de Saint-Brieuc, la tête momifiée de Richelieu était présentée chaque année aux élèves à l'occasion de la remise des prix. On peut voir un masque réalisé à partir de cette tête momifiée dans la salle des actes de la Sorbonne. Apprenez par ailleurs qu'elle posa en 1846 pour un portrait de Richelieu destiné à orner le grand escalier du Conseil d'État ; autrement dit, la tête de l'Homme rouge, mort le 4 décembre 1642, posa pour un peintre alors même que son propriétaire était déjà mort depuis plus de deux cents ans ! Ses heureux détenteurs, la famille Armez vivant dans les Côtes-du-Nord, finiront par restituer cet auguste chef à la République. Richelieu, ou plutôt le peu qu'il en reste alors, réintégrera en 1866 son tombeau, sculpté par François Girardon dans la chapelle de la Sorbonne.

Le cervelet de Buffon. Dans le socle de la statue à son effigie devant la Grande Galerie de l'Évolution au Jardin des plantes (5e arr.).

La phalange de sainte Geneviève : église Saint-Étienne-du-Mont (5e arr.). C'est tout ce qui a pu être sauvé de la destruction par les sans-culottes.

Le cerveau de Gambetta : musée Orfila (5e arr.), aujourd'hui fermé. Son cœur se trouve dans un morceau de pin des Vosges évidé, placé dans une urne au Panthéon ; le reste du corps est à Nice et son œil au musée Gambetta de Tarbes !

L'intégralité du corps de Napoléon Ier ? Hôtel national des Invalides (7e arr.). Moins deux fragments de côte et d'intestin, une dent, un morceau de pénis (à New York). Le cœur et les entrailles de l'Aiglon sont restés à Schönbrunn, en Autriche.

Les mèches de cheveux de Napoléon et de Wellington : ambassade de Grande-Bretagne, 35, rue du Faubourg-Saint-Honoré (8e arr.). Après s'être opposés sur les champs de bataille, les deux hommes se font face sur une commode par reliquaires interposés !

Le crâne de Descartes adressé en 1821 dans une boîte à chapeau au Français Cuvier, par le scientifique suédois Jacob Berzelius.

Le crâne de Boileau et la tête de Bonnot : musée de l'Homme, place du Trocadéro (16e arr.).

Les mains de Che Guevara. Elles ont fait étape à Paris (à l'aérogare des Invalides, très exactement), transportées dans un bocal de formol en transit depuis l'Amérique du Sud *via* la France, la Hongrie et la Russie, jusqu'à Cuba où elles se trouvent aujourd'hui (ainsi que le masque mortuaire du Che).

Trois calculs de Sainte-Beuve. Si le calcul de Napoléon III est conservé au musée Napoléon de Monaco, ceux de Sainte-Beuve se trouvent à la bibliothèque de la Faculté de médecine, rue Bonaparte (6e arr.). Sainte-Beuve, en effet, souffrait de ce que l'on appelait à l'époque la maladie de la pierre. Trois calculs furent extraits de sa vessie après son autopsie, dont l'un, gros comme un œuf, donne une petite idée du martyr que dut endurer l'écrivain, ce que confirme George Sand dans une lettre du 13 octobre 1869 : « Le pauvre Sainte-Beuve est mort aujourd'hui dans des souffrances affreuses. C'est un grand esprit de moins. »

Et justement, à propos de la maladie dont il souffrait...

Premières médicales

Sous Louis XI, une grande première médicale eut lieu dans le charnier de l'église Saint-Séverin : un docteur de la Faculté voulait tenter l'opération de la pierre (1474) ; les volontaires ne se pressant pas au portillon, le roi promit la vie sauve à l'un de ses archers condamné à mort qui souffrait précisément de ce mal, s'il acceptait d'être opéré. On vint en foule assister à la douloureuse expérience et le cobaye rétabli fut gracié et même pensionné.

Depuis Saint-Séverin, quelques minutes suffisent pour se rendre au musée d'Histoire de la médecine, rue de l'École-de-Médecine (6e arr.) : en chemin, on aura une petite pensée pour Ambroise Paré, médecin de cinq de nos rois, inventeur de la ligature des artères. Il habitait le quartier, s'était marié à Saint-Séverin et avait un frère coffretier rue de la Huchette (5e arr.).

Une fois au musée, la vue des pinces longilignes et rébarbatives exposées ici en dira assez long sur le supplice que dut subir le malheureux archer de Louis XI ; il sortit probablement plus mort que vif de cette audacieuse opération.

Dans ce très joli musée, on trouvera entre autres trésors, la trousse d'Antommarchi, médecin corse qui pratiqua l'autopsie de Napoléon à Sainte-Hélène, ainsi qu'une petite pièce d'étoffe moisie qui ne paie pas de mine mais n'est autre qu'un échantillon de la toute première pénicilline offerte au musée par Alexander Fleming en personne.

Mais un autre objet présenté dans sa propre vitrine semble devoir mériter une attention particulière. De quoi s'agit-il ? D'un simple bistouri posé sur un coussin de velours. Jusque-là, rien d'extraordinaire ; sauf qu'il s'agit du bistouri avec lequel le chirurgien Charles-François Félix opéra la fistule anale de Louis XIV, le 18 novembre 1686. La Cour entière tremblait pour la vie du roi car jamais auparavant une telle opération n'avait été pratiquée. Aussi, les demoiselles de Saint-Cyr chantèrent au roi, pour sa guérison, un cantique écrit par leur supérieure, Mme de Brinon, et mis en musique par Lully. L'opération se déroula pour le mieux et les mémorialistes du temps prétendent même que son succès fit de la résection de la fistule anale une opération des plus prisées, qu'il convenait de subir au plus vite pour être dans le ton !

En 1714, Haendel, de passage à Versailles, aima le cantique et en écrivit à nouveau la musique avant de l'offrir au roi d'Angleterre. Une fois traduit, cela donna : *God save the King !*

Voilà qui fait de l'hymne britannique une conséquence heureuse de la fistule anale du Roi-Soleil ! Enfin, si l'on en croit la marquise de Créquy qui nous semble une mémorialiste tout à fait digne de foi.

Cocorico !

Insécurité

À la demande des Parisiens fut créé en 1254 le premier « guet des métiers », composé d'équipes de soixante volontaires chargés d'assurer la sécurité de la ville. Toutes les trois semaines environ, chaque Parisien assurait une nuit de présence avec les membres de sa corporation. À la tombée du jour, on se rendait donc au Grand Châtelet pour être affecté à la garde des prisonniers, à la lutte contre les incendies ou aux patrouilles dans les rues malfamées de la capitale.

Chose prévisible, les « bénévoles » se lassèrent assez vite d'une charge dont ils avaient suscité la création, mais qu'ils étaient désormais priés d'assurer avec constance jusqu'à l'âge de 60 ans révolus : au sein des corporations qui n'avaient pas les moyens de se faire exempter moyennant finances, l'absentéisme devint donc chronique. Il fut alors décidé que les tire-au-flanc qui se faisaient porter pâle devraient, au choix, se faire remplacer par une femme de leur famille ou payer une amende, faute de quoi ils seraient dépossédés de leurs biens ou séjourneraient en prison le temps d'affûter leur sens civique. Des punitions bien douces si l'on songe qu'un siècle plus tôt, sous Louis VI le Gros, un simple « ventrebleu » condamnait le jureur à être noyé !

En matière de prévention, le guet manifesta une certaine créativité : en 1418, pour faire déguerpir les malandrins à son approche, le chevalier du guet Gaultier Ralliard se faisait précéder de six joueurs de trompette !

Assiette anglaise

Au cours de la guerre de Cent Ans, Paris est le théâtre de la première guerre civile de l'histoire de France : des années durant, les Armagnacs opposés aux Bourguignons alliés des Anglais se disputent la ville, dont on doit à répétition changer les serrures et les clefs des portes.

Tout le mal est venu d'Isabeau de Bavière, épouse de Charles VI, le malheureux « roi fol » : elle signa avec les Anglais le « honteux traité de Troyes » par lequel elle déshéritait son fils ; en mariant sa fille au roi d'Angleterre Henri V, vainqueur à Azincourt, elle fit de lui le régent de

France durant la folie du roi Charles VI, avec promesse de succession à la mort de ce dernier.

Pendant quinze ans, de 1420 à 1435, les Anglais seront donc maîtres de Paris. Il ne nous est rien resté de cette occupation : jusqu'en 1700, on pouvait voir près de la Bièvre deux statues qu'ils avaient laissées et qui ne furent pas immédiatement détruites après leur départ. L'une d'elles représentait le duc de Bedford et l'autre, l'amiral Talbot ; et puis ce furent aussi les Anglais qui introduisirent à Paris, en 1425, un nouveau divertissement populaire typiquement britannique : le premier mât de cocagne !

Pour ne rien arranger, ces années d'occupation sont marquées par la disette et le froid, les loups affamés n'hésitent pas à entrer dans la ville. (Durant l'hiver 1439, les loups mangeront quatorze personnes entre Montmartre et la porte Saint-Antoine.) Tandis que des milliers de maisons se vident, désertées par leurs occupants, les Anglais prennent leurs quartiers : le comte de Salisbury investit l'hôtel d'Arras, rue Saint-André-des-Arts ; l'archevêque d'York habite rue Saint-Antoine ; le duc de Clarence, frère du roi d'Angleterre, réside dans le palais des Archives, rue des Francs-Bourgeois, où lui succédera bientôt le duc de Bedford.

Le roi d'Angleterre, Henri V, loge à Vincennes où il meurt le 31 août 1422. Son fils âgé de neuf mois lui succède, tandis que le duc de Bedford assure la régence. L'orphelin sera sacré roi de France à Notre-Dame neuf ans plus tard, le 16 décembre 1431. La France aura donc alors deux rois en même temps : Henri VI et Charles VII qui est sacré à Reims deux ans plus tôt, en présence de Jeanne d'Arc !

Dans un premier temps, les Parisiens se montrent dociles : cela peut sembler difficile à croire, mais au moment où Jeanne d'Arc met le siège devant Paris, il n'y a pas plus de 200 soldats anglais dans la capitale et seulement 35 pour occuper la Bastille commandée par sir John Fastolf ! Et voilà qui suffit alors à tenir la capitale ! Mais le régent Bedford ne tardera pas à accumuler les maladresses : après son sacre, Henri VI ayant fait une aumône dérisoire, les Parisiens épinglent à cœur joie une telle ladrerie ; Bedford continue à accabler d'impôts une population exsangue, et envoie un homme de police dans chaque mariage pour éviter que ce genre de rassemblement ne tourne à la « réunion politique ».

En ville, on commence à détester les Anglais que l'on affuble bientôt de sobriquets nés de leurs propres jurons : ces « bigots » (de *By God !*), ces « godons » (de *God Dam !*), ces « buveurs d'ale » (c'est ainsi qu'ils nomment leur bière) que l'on n'hésite pas à insulter sous cape, au risque d'avoir la langue coupée. On prétend qu'ils sont mi-hommes mi-animaux, qu'ils portent des queues ; l'injure « Anglais couëz » devient d'ailleurs très courante. On dit aussi qu'ils boivent le sang de leurs ennemis. Mais il y a bien pire encore ! Dans le beau royaume de France, on a toujours eu grand respect pour tout ce qui touche à l'alimentation et à la cuisine : au Louvre, la « viande », c'est-à-dire le repas du roi, arrive des cuisines par le grand degré de la salle des gardes en procession, et l'on est tenu de s'arrêter et de se découvrir sur son passage. Eh bien, les Anglais eux, ô sacrilège, mangent la viande bouillie ! D'ailleurs, il se dit dans Paris que la viande préparée par leurs cuisiniers pour le banquet du sacre d'Henri VI était si infecte, ayant été cuite trois jours plus tôt et servie réchauffée, que même les pauvres de l'Hôtel-Dieu ont refusé d'y toucher !

Point cardinal

Jusqu'au début du XVIIIe siècle, l'échelle de justice devant laquelle tout condamné à mort devait faire amende honorable avant d'être exécuté se trouvait au pied de Notre-Dame. Tenant en mains un gros cierge de cire jaune et portant autour du cou un écriteau indiquant la nature de son crime, le condamné devait s'agenouiller et implorer l'absolution de ses péchés.

Ensuite, il était hissé sur l'échelle où il se faisait canarder d'ordures et d'œufs pourris mis gracieusement à la disposition des spectateurs ! Après cette humiliation publique, le prisonnier était décroché et mené jusqu'au lieu de son supplice. À ce stade, une grâce providentielle était encore possible quoique rarissime : en effet, tandis que dans la Rome antique, tout condamné allant au supplice était gracié s'il rencontrait en chemin six vestales, à Paris, il lui « suffisait » de croiser un cardinal affirmant qu'il s'était trouvé là par hasard ! C'est ce qui advint en 1309 : le cardinal Eusèbe traversant la rue Aubry-le-Boucher croisa un criminel que l'on menait au gibet de Montfaucon, ce qui provoqua sa grâce. Un cabaretier de la rue Saint-

Martin en fut si enchanté qu'il fit peindre un chapeau de cardinal comme enseigne. Celle-ci n'a disparu qu'en 1910. Quant à l'échelle, elle fut remplacée en 1766 par un carcan à partir duquel on calcula toutes les distances entre la province et Paris ! Le point zéro était né !

Bons caractères

Dans un local aujourd'hui disparu du sous-sol de la Sorbonne fut créée, en 1470, la première imprimerie parisienne. L'humaniste Guillaume Fichet et le prieur de la Sorbonne Jean Heylin firent venir à Paris trois typographes allemands : Michel Friburger, Ulrich Gering et Martin Crantz, qui tous trois avaient travaillé sur les premières presses à Mayence. Gutenberg avait alors inventé les caractères mobiles depuis quatorze ans déjà, mais Paris ne possédait pas encore d'imprimerie typographique. Apposée au mur du grand hall d'entrée de la Sorbonne, côté rue des Écoles (5e arr.), une plaque commémorative évoque le rôle de ces pionniers de l'imprimerie.

Quel fut le tout premier livre imprimé à Paris ? Réalisé en une centaine d'exemplaires, il s'agissait d'une édition en latin des lettres de Gasparin de Bergame, un universitaire originaire de Padoue qui, tout italien qu'il fût, déplorait dans son ouvrage (déjà à l'époque !) « le dépérissement des bonnes lettres en France ». Le titre exact du livre était *Gasparini Percamensis, Clarissimi Oratoris, Epistolaris Liber* ; il s'agissait donc d'un ouvrage sur l'art épistolaire, d'ailleurs très indigeste paraît-il ! Par la suite, ces messieurs allaient mettre sous presse les ouvrages des meilleurs historiens de l'Antiquité, puis des ouvrages religieux. En remerciement de leurs bons offices, Louis XI qui adorait les livres et fit créer une belle bibliothèque au Louvre, accorda au trio en 1474 des lettres de naturalité.

En 1473, Gering s'installa à son compte rue Saint-Jacques (5e arr.), puis rue de la Sorbonne en 1478, à l'enseigne *Le Soleil d'Or*. Il devait y mourir le 23 août 1510, après avoir vécu à Paris près de quarante ans. La capitale comptait alors une quarantaine d'imprimeries.

Pour propager les belles lettres, François Ier fonda le Collège des « lecteurs royaux », interdit qu'un livre quitte le royaume sans que la Bibliothèque royale n'en possède au préalable une copie et institua le privilège d'« Imprimeur du Roy pour le grec », fonction dont un certain Conrad Néobar fut le tout premier titulaire. Mais c'est un vrai Parisien nommé Claude Garamond, né et mort à Paris (1499-1561), qui grava les caractères grecs en 1541 et acquit une notoriété européenne en créant des caractères romains qui partout allaient supplanter les caractères gothiques.

Par la suite, la fondation de l'Imprimerie royale par Louis XIII et Richelieu permettra à Paris de devenir le premier centre typographique européen !

Qu'en reste-t-il aujourd'hui ? En 2002, l'Imprimerie nationale a perdu le florissant marché des annuaires téléphoniques ! Les métiers du livre n'étant plus rentables, elle se concentre désormais sur l'impression de documents administratifs comme les passeports biométriques, les permis de conduire ou les sujets d'examen.

Elle a quitté la rue de la Convention (15e arr.) pour Choisy-le-Roi et Ivry-sur-Seine, tandis que ses activités fiduciaires ont été délocalisées à Douai. Et le site qu'elle occupait rue de la Convention ? Avant d'être racheté pour une somme astronomique par l'État en 2007 afin qu'y soit installé le nouveau ministère des Affaires étrangères, il fut acquis en 2003 pour une bouchée de pain par un fonds de pension américain ! « *O tempora O mores* », aurait emprunté à Cicéron un Gasparin de Bergame mélancolique !

Coquillages et crustacés

Le plus vieux bénitier de Paris est contemporain de Louis XII ; gravé aux armes de France et de Bretagne, il se trouve dans l'église Saint-Merri. Ceux de l'église Saint-Paul, dans le Marais, ont été offerts par Victor Hugo (qui habitait alors place des Vosges) à l'occasion du mariage de sa fille Léopoldine avec Charles Vaquerie le 15 février 1843. C'est d'ailleurs dans cette même église que Cosette épouse Marius dans *Les Misérables*. Au passage, on regardera avec attention le tableau de Delacroix représentant le *Christ au jardin des oliviers* : certains guides prétendent en effet que le Christ a les traits de Victor Hugo, qui aurait posé pour son ami Eugène en 1827. La ressemblance étant loin d'être évidente, voilà qui relève probablement de la légende urbaine ?

Quoi qu'il en soit, les bénitiers parisiens les plus spectaculaires sont indéniablement ceux de Saint-Sulpice ;

réalisés dans des coquillages géants, des tridacnes, ils furent offerts à François Ier par la république de Venise. Delacroix s'est inspiré de leur socle sculpté par Pigalle pour représenter le tronc noueux d'un gros arbre au premier plan de sa chapelle des Saints-Anges (dans cette même église Saint-Sulpice). Peut-être ces bénitiers donnèrent-ils à Hugo l'idée d'offrir ceux de l'église Saint-Paul ? Après tout, lui-même ne s'était-il pas marié à Saint-Sulpice en octobre 1822 ?

Toujours Hugo, encore des bénitiers : dans *Choses vues*, l'écrivain raconte justement la triste fin du Stéphanois Antonin Moine, le sculpteur le plus important de la période romantique qui se fit sauter la cervelle le 18 mars 1849. Un artiste auquel nous devons non seulement certaines des Néréides figurant sur les fontaines de la place de la Concorde, mais aussi et surtout les bénitiers de la Madeleine !

Plus modeste qu'Hugo, et aussi facétieux que les nièces de Mazarin qui mettaient de l'encre dans les bénitiers de la Visitation (actuel temple réformé du Marais, 17, rue Saint-Antoine) pour que les sœurs recluses en ces lieux se mouchettent en se signant, le bourgeois Tronsson finança une chapelle de l'abside de Saint-Germain-l'Auxerrois. En échange, il demanda que son nom passe à la postérité : voilà pourquoi des « tronçons » de carpes, des morceaux de poissons coupés en deux, intriguent tous les curieux qui font le tour de l'église.

Vieux beau !

Quel est l'âge du pont Neuf ?

À en croire la très sérieuse revue *Célébrations nationales* éditée par le ministère de la Culture, il aurait été terminé le 8 juillet 1606 et aurait donc 406 ans ; mais d'autres ouvrages tout aussi recommandables datent son achèvement de décembre 1607, ce qui ferait 407 ans !

Est-ce en raison d'une incertitude sur son âge que l'on s'est abstenu de fêter dignement ses 400 ans, ou bien parce que l'on a estimé en haut lieu qu'on en avait déjà bien assez fait pour lui en consacrant treize années de travaux à sa restauration ? Car ce sont bien treize longues années que les Parisiens auront passées à guetter impatiemment que le noir fasse place au blanc sur chacune des douze piles de leur cher vieux pont Neuf.

Suivie de quelques fignolages, la pose de la dernière pierre du chantier de rénovation a eu lieu, et cette fois c'est une certitude, le 10 avril 2006 à 20 h 30 ! Depuis, s'offre au regard admiratif des passants le spectacle d'un pont immaculé, beau comme un sou neuf et qui, pour être le plus vieux de Paris, n'en porte pas moins allégrement ses plus ou moins quatre siècles !

Pourtant, nul pont parisien ne naquit sous une plus mauvaise étoile. Le lieu même où il fut construit évoquait un affreux souvenir car c'était là, sur l'île aux Juifs, que Jacques de Molay, grand maître des Templiers, et Guy, prieur de Normandie, furent brûlés vifs par ordre de Philippe le Bel le 18 mars 1314.

Mais le développement du Faubourg-Saint-Germain imposait la construction d'un nouveau pont. Paris n'en comptait alors que quatre reliant la Cité aux rives de la Seine, dont trois en bois et un en pierre. Tous étaient surmontés de maisons, tous menaçaient ruine. Le projet d'un cinquième pont fut donc évoqué dès 1378 sous Charles V, mais outre que le prévost de Paris craignait qu'il ne fût un obstacle pour la navigation, la ville ne voulait pas entendre parler d'en assurer la dépense. Surtout, il paraissait absolument insensé de le construire à cet endroit-là : pourquoi choisir précisément le lieu où le fleuve atteignait sa plus grande largeur, à la rencontre même de ses deux bras ?

En raison de cette contrainte particulière, nul ne parvint, dès l'adjudication des travaux au printemps 1578, à s'entendre sur le nombre d'arches et l'emplacement des piles. Au demeurant, il semble que nul architecte n'ait été désigné à l'origine et qu'aucun plan n'ait été établi.

La pose de la première pierre, le 31 mai 1578, par Henri III allait se dérouler sous des auspices tout aussi peu encourageants.

En effet, le matin même, le roi avait assisté aux obsèques de ses deux favoris Caylus et Maugiron, tués en duel. En présence de son épouse Louise de Lorraine et de sa mère Catherine de Médicis, Henri III, vêtu de noir de pied en cap, se rend en barque sous une pluie torrentielle au lieu où se dressera la première pile du pont. Le maître d'œuvre lui présente un tablier de cuir blanc, une truelle d'argent et un seau rempli de mortier. Le roi en saisit une pelletée dans laquelle on ajoute des monnaies à son effigie, puis il scelle à fleur d'eau la pierre frappée à ses armes et à celles de Paris. Ce jour-là, ce sont les Parisiens qui baptisent le futur pont et leur choix, vu les circonstances, se porte en toute logique sur le « pont des Pleurs » ou le « pont des Larmes »...

Six mois après l'inauguration, on se rendit compte que les quatre arches projetées ne suffiraient pas à atteindre l'île aux Juifs. Baptiste Androuet du Cerceau, architecte des bâtiments royaux, venu seconder Guillaume Marchand, l'un des adjudicataires des travaux, proposa de construire une arche supplémentaire sur le petit bras, ce qui entraîna un retard de deux ans. Par ailleurs, on réalisa rapidement qu'il fallait en réalité deux ponts au lieu d'un seul, et qu'il serait impossible de les aligner : à bien y regarder, on constate en effet qu'il y a un léger infléchissement de l'axe entre le pont du petit bras (cinq piles) et celui du grand (sept piles).

Après les difficultés techniques, ce furent les événements politiques (guerres de religion, assassinat d'Henri III) qui vinrent interrompre le cours des travaux.

Tels furent les débuts du pont Neuf : onze ans après sa naissance, il était à l'abandon, laissant un Montaigne désolé d'être privé de l'espoir de voir un jour terminée la grande œuvre qui devait être la merveille de son siècle.

Henri IV reprend les choses en main. C'est lui qui, le 20 juin 1603, passe le premier d'une rive à l'autre sur le tablier de planches branlantes. Afin que les travaux puissent se poursuivre, le 2 mai 1606, il fait chasser par François Miron la colonie de mendiants irlandais établie dans l'île aux Juifs vers 1595, les « Belîtres », revenus quasiment à l'état sauvage et qui gîtaient dans l'encombrement des matériaux abandonnés ci et là.

En vrai précurseur, Henri IV prend ensuite la décision de ne pas couvrir le pont de maisons ainsi que l'avait prévu la ville de Paris. C'est une révolution ! (Tous les ponts construits après le pont Neuf seront, eux, surmontés de maisons dont ils ne seront progressivement débarrassés qu'à partir de 1741.) Pour terminer le pont du grand bras, Henri IV puise dans sa cassette personnelle et complète à l'aide d'une taxe prélevée sur chaque « muid » de vin entrant dans Paris. Le pont terminé, cette taxe sera maintenue afin de pouvoir maçonner les quais.

Avec l'aménagement de la place Dauphine (1er arr.) et le percement de la rue du même nom rive gauche en 1607, Henri IV signait là le premier projet d'urbanisme de la Monarchie dans la capitale.

Les deux chevaux du pont Neuf

Au beau milieu du pont Neuf, surplombant la petite île du Vert-Galant, se dresse la statue équestre d'Henri IV bien connue des Parisiens. Ce qui l'est moins en revanche, c'est que celle-ci fut la première statue de monarque érigée dans Paris. Jusqu'alors, les effigies de nos rois étaient placées sur leur tombeau, au portail de quelque église ou demeure royale.

En fait, deux statues d'Henri IV à cheval se sont succédé à cet endroit (sans compter, de 1814 à 1818, un troisième cheval provisoire en plâtre).

L'histoire de la première, inaugurée le 23 août 1614, commence et finit sous l'eau. À la mort d'Henri IV, Côme II, grand-duc de Toscane, fit cadeau à sa cousine Marie de Médicis d'un colossal destrier en bronze. Le bateau qui l'acheminait d'Italie sombra au large de la Sardaigne, de sorte qu'il séjourna plus d'un an sous les flots avant d'être renfloué puis convoyé jusqu'à son piédestal parisien. Finalement bien arrimés, Henri IV et sa monture vont passer près de deux siècles à scruter paisiblement la place Dauphine.

Mais le 12 août 1792, des sans-culottes, décidés à détruire sans pitié tout ce qui de près ou de loin évoque la monarchie, renversent la statue, la brisent, envoient certains morceaux à la fonte, d'autres par le fond. Fin de la première statue parisienne ? Pas tout à fait : un jarret du cheval ayant providentiellement survécu à cette opération punitive est exposé au musée Carnavalet.

La sculpture actuelle fut érigée par Louis XVIII à la Restauration. Son socle est une véritable caverne d'Ali-Baba monarchiste ; on y trouve en vrac : *La Henriade* de Voltaire, la Charte de 1814, une *Vie d'Henri IV*, divers traités de paix, un récit du retour de Louis XVIII, sans compter les archives, pièces et médailles déposées selon l'usage dans ce genre de monument. La statue, quant à elle, fut créée à partir du bronze obtenu par la fonte du *Napoléon Ier* qui surmontait la colonne Vendôme, d'une statue du général Desaix, général d'Empire mort au cours de la bataille de Marengo (dans le Piémont) et de la colonne de Boulogne-sur-Mer.

Indigné par ce honteux « recyclage » de l'Empereur, le ciseleur Mesnel, ouvrier fondeur par ailleurs fervent bonapartiste, allait venger l'outrage à sa manière. Il truffa la panse du nouveau cheval de documents, chansons et autres libelles antiroyalistes, puis fourra dans le bras droit d'Henri IV une statuette de Napoléon. Pour couronner le tout, il inséra dans la tête du roi le compte rendu détaillé de ce crime clandestin de lèse-majesté. Lors de la restauration de la statue en 2004, on a également retrouvé une boîte contenant une sorte de pâte reliquaire du genre de celle que l'on utilise traditionnellement pour conserver des reliques insignes ; en l'occurrence, il s'agit probablement de quelque phanère impérial (cheveux ou poils) ?

Quoi qu'il en soit, on l'aura compris, la statue du pont Neuf est bien plus que la simple représentation d'un vieux monarque Vert Galant, consensuel et gourmand. Elle est une vraie poupée russe, tabernacle oublié des luttes politiques d'un autre temps.

Journée des barricades

Le 12 mai 1588, le peuple catholique de Paris se soulève contre son roi en la personne d'Henri III. La capitale en tient pour le duc de Guise et la Sainte Ligue soutenus par le très catholique Philippe II, roi d'Espagne. On ne veut plus d'Henri III, on craint qu'il ne prépare une Saint-Barthélemy à l'envers, un massacre des catholiques par les protestants. La récente mort de François d'Alençon, dernier frère du roi, ne vient-elle pas de faire d'Henri de Navarre, un huguenot, l'héritier du trône de France ? Les émeutiers se regroupent donc place Maubert et barrent les rues en entassant des barriques remplies de terre. Ce sont les premières « barricades » de l'histoire de France.

Longtemps les rues parisiennes se bloqueront facilement, avec des spécialités par quartier : dans celui des ébénistes, le Faubourg-Saint-Antoine, on utilise armoires, commodes ou pianos. Les insurrections sont monnaie courante dans la capitale : de 1830 à 1850, neuf émeutes renversent deux régimes !

Après les Trois Glorieuses et leurs 1 800 victimes, Louis-Philippe fait remplacer les pavés de granit par des pavés de bois. Haussmann qui a vécu de près ces heures sanglantes voudra à son tour protéger le pouvoir, de la rue. Il fait tracer les grands boulevards dont il lui sera reproché d'avoir calculé la largeur en fonction du rayon de braquage des pièces d'artillerie. Voilà ce que le philosophe allemand Walter Benjamin aurait qualifié d'« embellissements stratégiques » !

En 1830, pour défendre la barricade de la rue du Bac, des émeutiers pillent le musée d'Artillerie de Saint-Thomas-d'Aquin afin de s'y procurer des armes. L'un d'eux revêt l'armure de François Ier prise au hasard d'une vitrine : « Je n'avais pas vu toutes les petites bêtises qu'il y a là-dessus » confiera-t-il à un journaliste.

Les « petites bêtises » en question, c'étaient les batailles d'Alexandre ciselées par Benvenuto Cellini !

Haute tension

Août 1572. Dans un Paris caniculaire affluent des milliers de gentilshommes calvinistes venus assister au mariage de leur chef Henri de Navarre, prince « hérétique », avec Marguerite de Valois, princesse catholique, sœur du roi Charles IX. D'emblée, la cérémonie n'augure rien de bon, la mariée s'étant présentée seule devant l'autel tandis que son Béarnais de fiancé demeurait sur le pas de la porte. Six jours après ces noces pas très catholiques, les cloches de Saint-Germain-l'Auxerrois donnent le signal du massacre de la Saint-Barthélemy. Sa toute première victime est l'amiral Gaspard de Coligny, chef des calvinistes. Il fait l'objet d'un premier attentat le 22, puis, dans la nuit du 23 au 24, une bande armée conduite par le duc de Guise pénètre chez lui, rue de Béthisy (aujourd'hui 144, rue de Rivoli, dans le 1er arrondissement), le poignarde à mort puis le défenestre. Après quoi, les portes de Paris ayant été verrouillées, le massacre des protestants peut commencer. Il va durer cinq jours et fera près de 3 000 morts dans la capitale.

Au 160, rue de Rivoli, au chevet de l'église réformée de l'Oratoire du Louvre, une statue de Coligny évoque ce drame fratricide.

Quant aux cloches de Saint-Germain-l'Auxerrois qui sonnèrent à la volée ce fameux 24 août 1572, il n'en reste qu'une sur trois, la Marie. Âgée de 480 ans, elle est si usée qu'on a dû la tourner à plusieurs reprises pour que son battant trouve une nouvelle surface à frapper.

Pauvre Paume !

Dans les jours qui précèdent le traditionnel Tournoi de Roland Garros, on peut se mettre dans l'ambiance en allant admirer au Tenisseum (le musée du tennis dans l'enceinte même de Roland-Garros) le tout premier blazer griffé d'un crocodile ou la première machine à lancer des balles inventée par René Lacoste, l'un des « Quatre Mousquetaires » vainqueur de la Coupe Davis en 1927.

Certes, ce fut le très britannique major Wingfield qui fit breveter le tennis à la Chambre des métiers de Londres le 23 février 1874 ; les règles en seront définies en 1875, année même où le directeur d'un journal de loisirs achètera une prairie pour y pratiquer ce que l'on nomme alors *lawn tennis*. Le premier tournoi de *lawn tennis* aura lieu en 1877, sur cette prairie de… Wimbledon ! Un an plus tard, le tennis débarquera en France grâce aux touristes anglais et c'est donc à Dinard, en 1878, que sera créé le tout premier club de tennis de France avec six courts de sable.

Mais, entre 1250 et 1650, « la » capitale internationale de la raquette était bel et bien Paris ! Vers la fin du XIIIe siècle, les quelque cent trente et un « paumiers parisiens », artisans qui fabriquaient les balles d'étoffe ou « esteufs », étaient les plus réputés d'Europe. Tout le monde pratiquait, soit en plein air, soit dans des salles nommées « tripots ». Les Parisiens étaient même si « accros » à la paume qu'en 1397, le prévôt finit par interdire d'y jouer en semaine… car trop nombreux étaient ceux qui délaissaient leur ouvrage pour le jeu. Certains de nos rois furent de vrais champions : François Ier, Henri II et même Henri IV qui, en gagnant une mémorable partie le 23 mars 1594, redora son blason auprès des Parisiens qu'il avait affamés au cours d'un siège qui avait duré des mois.

Au début du XVIIe siècle, l'Anglais Dallington écrivait des Français qu'ils naissaient « une raquette à la main ». De fait, Paris seule comptait alors 250 jeux de paume ! Le mot même de « tennis » vient de « tennetz », « tenir » en vieux français, et notre langue est pleine d'expressions liées au jeu de paume : d'« épater la galerie » à « jeux de mains, jeux de vilains » (parce que les pauvres n'avaient pas de raquettes et jouaient à la main), en passant par « saisir la balle au bond », « enfant de la balle » et même « peloter » !

De nos jours, il ne reste dans Paris qu'un terrain de « courte paume », 74, rue Lauriston (16e arr.), et un terrain de « longue paume » au jardin du Luxembourg : chaque premier dimanche de septembre, c'est là que les stars de l'esteuf disputent la phase finale du championnat de France !

Pari(s) de Pascal

Paris possède plusieurs exemplaires de la « Pascaline », la toute première machine à calculer capable d'effectuer en même temps les quatre opérations. Elle fut mise au point par Blaise Pascal en 1642, alors qu'il n'avait que 19 ans ; fils aimant, il souhaitait grâce à cette invention faciliter le travail quotidien de son père, alors commissaire du roi pour l'impôt et la levée des tailles.

La Pascaline sera tout à la fois la première machine à calculer commercialisée, la première machine brevetée, et la première à avoir été copiée ! En trois ans de recherches, Pascal va fabriquer cinquante prototypes tous différents (en bois, ivoire, ébène ou cuivre...), puis vingt Pascaline « abouties ». Il dédie la toute première à être véritablement opérationnelle au chancelier Séguier en 1645. Neuf de ces machines sont parvenues jusqu'à nous. Deux d'entre elles se trouvent à Clermont-Ferrand au musée Henri-Lecoq et quatre au musée des Arts et Métiers.

À la mort de ce père qu'il vénérait, Pascal quitta la rue Beaubourg pour le 54, rue Monsieur-le-Prince (6e arr.), alors rue des Francs-Bourgeois-Saint-Michel. C'est là qu'il connaîtra, le 23 novembre 1654, sa fameuse « nuit de feu » : deux heures d'extase mystique décrites en quelques lignes jetées sur un parchemin qu'il portera cousu dans son manteau jusqu'à sa mort. C'est encore là, de 1654 à 1662, qu'il écrira *Les Provinciales* pour défendre la doctrine janséniste et les fameuses *Pensées* qui feront de lui l'un de nos plus grands philosophes.

Après cette expérience spirituelle, Pascal se consacre à un apostolat religieux, mais poursuit ses recherches mathématiques et met au point diverses inventions aussi variées que la presse hydraulique ou la première ligne au monde de « transport en commun », avec les « carrosses à cinq sols » équipés de plusieurs sièges.

Gravement malade, il s'installe chez sa sœur Gilberte au 67, rue du Cardinal-Lemoine (5e arr.), où il meurt le 19 août 1662 à l'âge de 39 ans. Dans le pilier de l'église Saint-Étienne-du-Mont où il est inhumé, Pascal fait face pour l'éternité à un « compteur » d'un tout autre genre : un nommé Jean Racine.

Vrais secrets de Saint-Sulpice

L'église Saint-Sulpice est l'exemple idéal pour exposer ce que l'auteur de ces lignes entend par « secrets ». En effet, depuis quelques années, nombreux sont les lecteurs passionnés du *Da Vinci Code,* le best-seller de Dan Brown, qui se précipitent à Saint-Sulpice, mais ce, pour de mauvaises raisons.

Quels sont les vrais secrets de Saint-Sulpice ?

Le premier est peut-être le plus banal. Il faut savoir, en effet, que tout au long de son histoire Saint-Sulpice n'a jamais cessé d'être en chantier : sa construction fut notamment interrompue entre 1678 et 1719 faute d'argent. Pendant plus de quarante ans, les nefs de l'église ancienne et de la nouvelle se rejoignirent donc tant bien que mal avec entre les deux un dénivelé de quatre mètres !

Au temps des rois mérovingiens, le jeune Sulpicius dut lui aussi patienter plus de quarante ans avant de pouvoir devenir moine, puis évêque de Bourges en l'an 624. Une abnégation qui fera de lui le saint patron des vocations contrariées.

Ce patronage particulier aurait-il influencé le destin d'une église qui semble depuis sa fondation condamnée aux travaux à perpétuité ?

Tentons un bref abécédaire des secrets de Saint-Sulpice.

Architectes. Si Saint-Sulpice donne une impression d'inachèvement, c'est peut-être parce qu'on y a toujours vu trop grand. Elle est, en effet, plus grande que Notre-Dame ! Pas moins de sept architectes vont s'y succéder en à peine plus d'un siècle : on retiendra surtout Gittard (1625-1686), auteur des plans de l'édifice, contemporain de Louis XIV, obsédé par la recherche de lumière, et Servandoni (1695-1766), décorateur d'opéra, auteur d'une façade ressemblant à un décor de théâtre. Elle comporte une centaine de colonnes et pourtant, vue du sol, on ne devinerait jamais une telle profusion.

Bénitiers. Déjà mentionnés dans la chronique « Coquillages et crustacés », p. 44, ce sont ces deux spectaculaires tridacnes géants d'Océanie offerts par la république de Venise au roi François Ier. Chacune des valves pèse plus de 100 kilos et repose sur un rocher de marbre blanc sculpté par Pigalle. Nous avons déjà signalé que Delacroix s'était inspiré de ces socles pour dessiner la base d'un arbre que l'on aperçoit au premier plan de *La lutte de Jacob avec l'Ange*. Une visite de Saint-Sulpice qui ne comporterait pas un aller-retour entre la chapelle des Saints-Anges et les bénitiers serait amputée de l'un de ses plus jolis secrets !

Chaire. Elle semble suspendue dans les airs. Dessinée par Charles de Wailly, architecte du théâtre de l'Odéon, achevée en 1788, elle ne repose en effet que sur deux escaliers latéraux revêtus de marbre. Depuis cette chaire, des prêtres bien sûr, mais aussi des tribuns révolutionnaires haranguèrent la foule. Sous la Commune, ce fut aussi le cas de la célèbre Louise Michel.

Cimetière. Août 2005. Alors qu'il se promène rue Saint-Sulpice, M. P., habitant du quartier, tombe soudain en arrêt. Devant lui, sur le trottoir, deux immenses sacs de chantier dont l'un contient ce qu'il croit être un tibia ! Stupéfait, il s'approche : en effet, les sacs en question sont remplis de gravats et d'ossements humains.

Ce jour-là, ce monsieur n'a pas son appareil photo. Il s'en mord aujourd'hui les doigts, car lorsqu'il se rend à nouveau sur place le lendemain, les sacs ont disparu. Il parvient à entrer dans le hall de l'immeuble où des travaux de terrassement sont en effet en cours : une longue et profonde tranchée balafre le couloir sur toute sa longueur. Comme il connaît parfaitement l'histoire de Saint-Sulpice, M. P. comprend immédiatement que les ouvriers du chantier sont tombés par hasard sur l'ancien cimetière de l'église. Au reste, il n'est pas rare de rencontrer un os lorsque l'on creuse le sous-sol parisien ! Songez que sous Louis XIV, Paris ne comptait pas moins de cinq cents cimetières d'églises.

On a bien retrouvé des tombes mérovingiennes lors de la réalisation du parking de la place Baudoyer dans le 4e arrondissement, mais aussi, très récemment, dans le sous-sol du collège Sainte-Barbe (5e arr.).

Lorsqu'à la fin du XIXe siècle, on mit à jour du côté de la rue Pierre-Nicole (5e arr.) des sarcophages gallo-romains, les squelettes qu'ils renfermaient avaient dans la bouche la pièce de monnaie destinée au passeur Charon : sans cette « obole », aucune chance de traverser le Styx !

Mais, pour en revenir à des choses plus concrètes : quelle est la marche à suivre si d'aventure vous trouviez quelques ossements humains dans votre cave ou votre parterre de fleurs ? Il vous faudra contacter votre mairie ou l'INRAP (Institut national de recherches archéologiques). Pour votre information, sachez que tous les ossements humains retrouvés dans Paris rejoignent dans les catacombes les restes des six millions de Parisiens qui y reposent déjà.

Delacroix. En 1849, la ville de Paris lui commande les peintures de la chapelle des Saints-Anges. Plutôt que de représenter des anges paisibles, le peintre choisit trois scènes de bataille dont celle du combat de Jacob et de l'Ange, image de l'homme seul dans un moment de vérité. C'est le chef-d'œuvre qui fascina Baudelaire et que Barrès qualifia de « testament artistique » du maître. Delacroix va passer près de sept ans à le réaliser.

Gnomon astronomique. Cet instrument rarissime est un obélisque de marbre blanc, duquel part une baguette de cuivre incrustée dans le sol. À midi, le rayon solaire vient frapper cette ligne dite méridienne.

Le gnomon permettait de déterminer l'équinoxe de mars, donc le jour de Pâques, mais aussi d'établir certains paramètres de rotation de la Terre. Sous la Révolution, les noms de Louis XV et de ses ministres ont été martelés, mais l'ensemble fut sauvegardé pour son intérêt scientifique.

Leptis Magna. Les plus vieilles pierres de Saint-Sulpice ne sont pas celles de la crypte, mais les colonnes de marbre installées en 1747 dans la chapelle de la Vierge. Elles proviennent de la cité antique de Leptis Magna, en Lybie. En 1688, trois cents de ces colonnes seront expédiées en France par le consul de France à Tripoli. Certaines sont aujourd'hui à Paris, au Louvre, à Rouen et Brest, d'autres à Windsor, car les Anglais, eux aussi, firent leur marché à Leptis !

Notre-Dame de la Vieille Vaisselle. Surnom d'une statue installée dans la chapelle de la Vierge par le père Languet de Cergy. Nommé curé de Saint-Sulpice en 1714 (il le restera 34 ans), il organisa des loteries annuelles pour financer la reprise des travaux. Les mauvaises langues prétendaient qu'il subtilisait des couverts dans les dîners pour recouvrir sa statue d'argent ! Fondue à la Révolution, celle-ci fut remplacée par une *Vierge à l'Enfant* de Pigalle, éclairée par un jour étrange dont on voit l'effet sans en voir la source.

Orgues. Conçues par Clicquot en 1781, restaurées en 1857 par Cavaillé-Coll dont elles sont le chef-d'œuvre, elles sont renommées pour leurs cent jeux. Ici, Charles Marie Widor lança de grands défis musicaux à Gabriel Fauré, et Albert Schweitzer vint souvent jouer du Bach !

Révolution. Sur la porte principale de l'église, une inscription presque effacée indique : « Le peuple françois reconnoît l'Être Suprême et l'immortalité de l'âme. » En 1793, on pratiqua en effet à Saint-Sulpice le culte de la raison puis, en 1797, celui de la victoire avec les théophilanthropes. Sous le Directoire, trois jours avant le coup d'État du 18 Brumaire (6 novembre 1799), on y organisa un banquet de 750 couverts en l'honneur de Bonaparte de retour d'Égypte.

Solennités. On retiendra les baptêmes de Sade (1740) et de Baudelaire (1821). Le mariage de Camille Desmoulins (1790) dont Robespierre fut le témoin quatre ans avant de l'envoyer à la guillotine ! Et celui de Victor Hugo avec Adèle Foucher le 12 octobre 1822.

C'est enfin ici que furent inhumés Armande Béjart et Montesquieu. Dans l'une des cryptes dont les sépultures furent dévastées sous la Terreur, Saint-Just tint des réunions.

Tours. Leur différence de hauteur, « comme deux lunettes de jumelles que l'on n'aurait pas mises au point de la même façon » (René Héron de Villefosse), a fait la célébrité de Saint-Sulpice. Victor Hugo parlait, lui, de « deux clarinettes ».

Chalgrin, architecte de l'Arc de Triomphe, habilla la tour nord d'un fronton triangulaire. Comme il était franc-maçon, on vit là une intention délibérée et l'église fut un temps qualifiée de « nouveau temple de Salomon ». La tour sud est laissée en plan à la Révolution. Mais le pire reste à venir : en 1870, les tours servent de cibles à l'artillerie prussienne qui tente de détruire les télégraphes de Chappe dont elles sont alors surmontées.

Aujourd'hui, la tour sud inachevée, trouée de toutes parts, abrite un couple de faucons.

Vitrail. Dans le best-seller de Dan Brown, l'inscription « PS » sur un vitrail renvoie au « prieuré de Sion » dont l'édifice serait l'un des hauts lieux. En réalité, « P » et

« S » sont Pierre et Sulpice, les saints patrons de l'église ! Les paroissiens sont maintenant rodés à réfuter ce genre d'allégations.

À son grand dam, le réalisateur du *Da Vinci Code* n'a pas eu le droit de tourner dans l'église. Mais après tout, quoi d'étonnant ? En son temps, Delacroix qui en avait pourtant appelé à Napoléon III ne fut, lui, jamais autorisé à peindre pendant la messe !

« Vieux vaisseau »

Dans *La Lutte avec l'Ange* (La Table ronde), Jean-Paul Kauffmann mène l'enquête sur la célèbre fresque peinte par Delacroix dans l'une des chapelles de Saint-Sulpice et entraîne le lecteur dans les coulisses de l'édifice : « Je suis une sorte de Quasimodo de Saint-Sulpice, pris d'une passion biscornue pour cette église Esmeralda » écrit-il, regrettant que ce lieu soit si mal aimé des Parisiens. Peut-être parce qu'ils l'associent injustement aux articles religieux ou « saint-sulpiceries » vendus dans ses alentours ?

Depuis l'église souterraine, immense dédale de galeries, jusqu'au sommet des tours, le lecteur découvre le moindre recoin de l'édifice. À mi-chemin de la tour nord, le logement de Carhaix, le sonneur de cloches décrit par Huysmans dans son roman *Là-bas,* est aujourd'hui l'atelier d'un peintre. Non loin de là, d'innombrables pièces condamnées jouxtent une maisonnette longtemps occupée par une Américaine ; elle y sculptait des anges !

Une maison en haut de Saint-Sulpice ? Quoi d'étonnant après tout : le sacristain affirme bien qu'il y eut ici autrefois un jardin suspendu. Après une traversée hasardeuse des combles du péristyle dans une odeur de poulailler, on retrouvera enfin, tout là-haut, Henriette, Thérèse et Caroline, les cloches de l'église. Quand visiter Saint-Sulpice sous son meilleur jour ? En septembre, suggère Kauffmann, car alors « l'église étincelle ».

En décembre 1857, Delacroix quitte la rue Notre-Dame-de-Lorette pour emménager au n° 6 de la rue Fürstenberg (6e arr.) ; c'est son marchand de couleur, Étienne Haro, qui lui a déniché ce charmant logement. Sa santé déclinant, il ne peut plus faire le trajet à pied jusqu'à Saint-Sulpice, où il doit pourtant se rendre chaque jour pour achever la fresque de la chapelle des Saints-Anges dont on lui a confié la réalisation. Delacroix va mener ici une vie de bourgeois aisé mais austère, choyé par sa fidèle servante Jenny Le Guillou, entouré de ses amis. Chopin, le meilleur d'entre eux, est mort en 1849, mais il y a George Sand, Théophile Gautier, Baudelaire...

De nos jours, ce domicile est un musée : aux côtés d'œuvres du peintre, on peut y voir ses objets familiers comme sa table à peinture, les vessies de porc ayant contenu ses couleurs (les tubes n'ayant pas encore été inventés), sa palette et ses pinceaux.

Delacroix mourra ici même, le 13 août 1863, à quelques mètres à peine de son premier atelier. Et que peignait-il à cette époque ? Comme un signe du destin : les deux tours de Saint-Sulpice !

Premières heures

La première horloge publique de Paris se trouve à l'angle de la Conciergerie.

Dans une ville comptant aujourd'hui plus de 14 000 horloges, on a du mal à imaginer qu'il fut longtemps bien difficile pour les Parisiens de connaître l'heure exacte entre deux volées de cloches. Les cadrans solaires ? Utilisables de jour et par beau temps ! Clepsydres et autres sabliers ? Ils ne quittaient pas les maisons ! En 1370, Charles V le Sage fit donc construire l'horloge monumentale maintes fois restaurée depuis.

Progressivement, l'heure gagna la rue : c'est sur un cadran faisant face à sa mansarde du 57, rue des Petits-Champs (1er arr.) que Rousseau tenta désespérément d'apprendre à lire l'heure à sa maîtresse, la jeune ouvrière Thérèse Levasseur. À quelques années près, il aurait pu disposer de l'une des toutes premières montres automatiques dites aussi « montres perpétuelles », mises au point par Breguet à partir de 1775 dans son premier atelier du 51, quai... de l'Horloge (1er arr.) ! Il s'en fabriquait alors deux cents par an tout au plus.

Le cadran de la rue des Petits-Champs a hélas disparu ! Disparu aussi, le petit canon du Palais-Royal qui tonnait au moment précis où le soleil passait au méridien de Paris !

Disparue enfin, l'époque de « l'heure locale », selon laquelle Brest avait 49 minutes de retard sur Strasbourg : en 1891, avec l'avènement du chemin de fer, la France entière passa à l'heure parisienne ! L'heure locale avait donc définitivement disparu, mais la France devait un jour connaître l'heure allemande : les Allemands imposèrent en effet leur heure (GMT + 2) en zone occupée mais pas en zone libre. Durant toute l'Occupation, il y eut donc une heure de décalage horaire entre Vichy et Paris.

C'est aussi à l'Occupation allemande que nous devons une expression restée célèbre : « Se faire appeler Arthur ». Dans Paris, le couvre-feu était fixé à huit heures du soir. Huit heures se dit *Acht Uhr* en allemand. Se faire appeler « *Acht Uhr* ou Arthur » devint vite synonyme de se faire rappeler à l'ordre !

La reine et l'horloger

Ils n'avaient pas 15 ans lorsqu'ils connurent l'exil : lui, quitta en 1762 le petit village suisse de Verrières pour suivre à Versailles un apprentissage d'horloger ; elle, dut renoncer à tout jamais à son Autriche natale pour venir épouser à Paris le 16 mai 1770 le dauphin Louis, futur roi de France.

Les aventures françaises de Marie-Antoinette (1755-1793) et d'Abraham Louis Breguet (1747-1823) débutèrent dans les mêmes années : elle était sa reine, il fut son horloger.

Dès 1780, les souverains français qui raffolaient des « garde-temps » commandèrent à Abraham Louis deux premières montres, puis une troisième destinée à la reine et dite « à très grande complication » : la montre n° 160 qui devait incorporer tous les perfectionnements connus à l'époque. Hélas, l'infortunée souveraine ne verrait jamais ce chef-d'œuvre dont la mise au point allait prendre plus de quarante ans (commencée en 1783, la n° 160 ne sera terminée après plusieurs interruptions qu'en 1827).

Passée de mains en mains au fil des années, la prestigieuse montre « Marie-Antoinette » sera finalement volée en 1983 dans un musée israélien. Malgré tous les efforts d'Interpol, elle n'a jamais été retrouvée.

Vingt ans après ce vol, le président de la société Montres Breguet, Nicolas G. Hayek, va mettre ses horlogers au défi de reproduire l'objet mythique. Il leur faudra plus de trois ans pour parvenir à dupliquer la montre à la perfection. Ne restait plus alors qu'à trouver un écrin digne de la recevoir.

En 2004, se présente finalement l'occasion de se procurer un matériau de choix : partiellement déraciné par la grande tempête de 1999, puis victime de la canicule de 2003, le chêne de Marie-Antoinette à Versailles va être abattu. Nicolas G. Hayek sollicite auprès de Christine Albanel, alors présidente du domaine de Versailles, l'autorisation d'acquérir un ou deux mètres cubes du bois de ce chêne afin de faire confectionner un écrin à la hauteur de la montre. Pour le bois de chêne, l'affaire est vite entendue, mais plutôt que le versement d'espèces sonnantes et trébuchantes, Christine Albanel suggère la prise en charge de la restauration de l'une ou l'autre des statues du parc.

En fait de statue, c'est finalement l'intégralité du projet de rénovation du Petit Trianon qui sera assumée par la société Breguet (soit cinq millions d'euros).

Le malheur d'un chêne et le désir de renouer les fils du temps entre cette maison pluriséculaire et l'inoubliable souveraine ont permis que revive la demeure tant aimée de Marie-Antoinette, le seul lieu peut-être où elle fut réellement heureuse. Un mécénat exemplaire, mais surtout une belle histoire de fidélité et de loyauté : pour la reine de France, Abraham Louis Breguet inventa en effet la plus belle et la plus coûteuse montre de tous les temps. Mais c'est également lui qui réalisa pour la souveraine déchue, prisonnière au Temple, la petite montre en acier toute simple sur laquelle la malheureuse vit s'égrener inexorablement les minutes jusqu'à ses tout derniers instants.

Rosettes de lions !

Le musée de la Légion d'honneur possède une immense toile de Van Loo représentant Henri III assistant, le 1er janvier 1579, en l'église des Saints-Augustins, à la première réunion de l'ordre du Saint-Esprit qui deviendra par la suite le plus grand ordre de la monarchie française. Mais on vient avant tout ici pour découvrir les décorations du monde entier caractérisées par une profusion de « distinctions animales » : « l'ordre national du lion » du Sénégal ou celui « du million d'éléphants et du parasol blanc » du Laos, par exemple.

Ici, l'aigle a une sacrée cote : il est blanc pour la Serbie et la Pologne, noir au Monténégro, rouge en Allemagne et « aztèque » au Mexique. La Bolivie lui a préféré le

« condor des Andes » tandis que la Chine écrase haut la main tous ces volatiles avec sa « grand-croix du dragon » !

Si le Saint-Siège fait dans le cheval avec l'« ordre équestre du Saint-Sépulcre » et la Lettonie dans la cynégétique avec celui « du tueur d'ours », la nature est aussi source d'inspiration : « ordre du cèdre » pour le Liban, « des deux rivières » en Irak.

Plus au Nord, on préfère l'« étoile polaire » ou la « rose blanche », avec toutefois les ordres inattendus « de l'éléphant du Danemark » et « du lion néerlandais ».

Quant aux Anglais, qui décidément ne peuvent jamais rien faire comme tout le monde, ils ont dédaigné les animaux pour honorer leurs grands hommes de l'ordre… du « bain » et de « la jarretière » !

Le soleil a rendez-vous avec la lune

Une fois mariée à Louis XIII, Anne d'Autriche passa, dit-on, 2 000 nuits, soit plus de cinq ans, sans recevoir une seule visite de son royal conjoint. Durant tout ce temps, le roi lui avait préféré la compagnie du duc de Luynes… La reine devra patienter vingt-trois ans avant de donner enfin naissance à Louis XIV !

Elle souhaita donc s'assurer au plus tôt que ce garçon manifesterait plus de goût pour les femmes que son papa. Ainsi, Louis XIV avait-il à peine 16 ans (1654) quand sa mère lui expédia la plus intime de ses chambrières. La plus intime, car c'est elle qui lui administrait ses clystères, ce qui était en effet de nature à nouer des liens privilégiés !

Catherine Bélier, dite aussi « Cateau la Borgnesse », avait alors au bas mot 45 ans. Les mémoires du temps la dépeignent tout à la fois laide, borgne et lubrique.

Par la suite, lorsqu'il cessa de s'en remettre à sa mère, Louis XIV sut mieux choisir ses maîtresses. Mais cette première conquête du Roi-Soleil eut pour conséquence heureuse la création de l'un des plus jolis hôtels particuliers du Marais : l'hôtel de Beauvais, 68, rue François Miron (4e arr.).

Car le dépucelage du jeune monarque va faire la fortune de Catherine Bélier : son mari, naguère vendeur de rubans dans une galerie marchande du Palais-Royal, devient conseiller du roi avec le titre de « baron de Beauvais » et son père, qui n'avait pourtant pas fait grand-chose dans l'histoire, se voit gratifié d'un titre de capitaine des chasses royales.

Quant à la toute nouvelle baronne, la reine et Fouquet lui versent des sommes énormes. Lorsqu'elle entreprend en 1655 d'embellir la demeure qu'elle vient d'acquérir, non seulement elle est autorisée à utiliser des pierres du chantier du Louvre, malgré l'opposition de Mazarin, mais elle reçoit même pour ce faire les services de Lepautre, grand architecte du roi.

Après les heures de gloire vinrent les heures de déchéance où Cateau fut contrainte pour subsister de prendre des locataires !

Aujourd'hui, la seule trace d'elle en ces lieux est la corniche où des têtes de béliers évoquant son nom alternent avec des têtes de lions. Elle occupa cette demeure plus de trente-cinq ans, mais c'est un autre résident qu'honore une plaque de bronze apposée au mur : un petit garçon âgé de sept ans et demi qui, lui, ne séjourna ici que cinq mois, un siècle après Cateau.

Oui, mais voilà… Cet enfant s'appelait Wolfgang Amadeus Mozart !

Carré VIP

En 1659, les Parisiens les plus fortunés purent boire un chocolat chaud pour la première fois de leur vie. David Chaillou venait d'obtenir par lettre patente du roi Louis XIV, et pour une durée de vingt-neuf ans, « le privilège exclusif de faire, vendre et débiter une certaine composition se nommant chocolat ». David Chaillou ne se contenta pas de fournir la Cour. En 1671, il ouvrit boutique rue de l'Arbre-Sec (1er arr.) et fit rapidement fortune.

En France, le chocolat fut avant tout une affaire de femmes : les reines Anne et Marie-Thérèse d'Autriche l'avaient apporté d'Espagne. Les maîtresses de Louis XV, Mmes de Pompadour et Du Barry, qui en raffolaient (probablement pour ses supposées vertus aphrodisiaques), vont en populariser la consommation. Ninon de Lenclos le fera découvrir à Voltaire ; Marie-Antoinette, qui le boira de préférence additionné de poudre d'orchidée, créera le poste de « chocolatier de la reine ».

À l'expiration du privilège de Chaillou, en 1689, d'autres « limonadiers » parisiens vont proposer du chocolat. Les plus courus seront Labastide, rue de la Monnaie

(1er arr.), et Delandre, rue des Lombards (4e arr.). Mais le chocolat que l'on peut désormais consommer en pastilles ou en dragées et non plus seulement comme breuvage, reste un produit de très grand luxe réservé à une élite. « Être admis au chocolat », comme on disait à la Cour, était un signe de prestige social.

Parmi ces pionniers parisiens du chocolat figure l'établissement *Au Nègre Joyeux* dont on peut aujourd'hui encore admirer l'enseigne au 19, rue Mouffetard (5e arr.). Elle représente un jeune noir en culotte et bas blancs. Qui cela peut-il bien être ? Les jeunes gens à la peau sombre ne couraient pas les rues lorsque cet établissement adopta cette enseigne. Ce jeune homme ne serait-il pas le fameux Zamor, page indien de la Du Barry, servant un chocolat à sa maîtresse ? N'habita-t-il pas le quartier ?

Zamor, petit garçon originaire du Bengale, avait été « offert » en cadeau à Mme Du Barry qui choisit son nom dans *Alzire,* une comédie de Voltaire. Il fut choyé et dorloté par Louis XV et sa favorite qui le firent instruire. Mais quels pouvaient être les sentiments réels de cet enfant, apprécié par ses maîtres au même titre que Dorine l'épagneule ou Phénix le ouistiti ? Des sentiments mitigés, apparemment, puisqu'en 1793 il témoigna à charge contre sa maîtresse devant le tribunal révolutionnaire et eut donc sa part dans la condamnation à mort de la comtesse.

Après la Révolution, il vint s'installer 13, rue du Maître-Albert (5e arr.), non loin du chocolatier dont l'enseigne, du moins nous le pensons, le représente. Il vécut de leçons de lecture données aux enfants du quartier et mourut le 7 février 1820. Nul ne suivit sa dépouille sur le chemin du cimetière de Vaugirard. « À ceux qui s'en étonnaient l'on répondait : c'est Zamor, celui qui a trahi la Du Barry » (G. Lenotre).

Guerre des étoiles

Il y a quatre ans, le musée de l'Armée consacrait une exposition au champion français de la « poliorcétique ». Ce mot insolite désigne la technique du siège des villes et l'as en question est le grand Vauban, premier ingénieur élevé à la dignité de maréchal de France, mort il y a un peu plus de 300 ans, le 30 mars 1707.

En 56 ans de carrière, Vauban constella la France de bastions, de citadelles et de villes fortifiées aux formes étoilées (150 communes furent concernées par ses travaux). Le panthéon de nos gloires militaires l'associe volontiers à Turenne, notamment dans l'adage resté fameux : « Ville assiégée par Turenne, ville prise, ville défendue par Vauban, ville imprenable. » Les Invalides exposent les célèbres « plans-reliefs » de Vauban, mais détiennent aussi... son cœur, transféré sous le dôme à la demande de Napoléon, en 1808.

Brillant ingénieur militaire, Vauban fut aussi un penseur prolifique et humaniste qui s'exprima souvent en visionnaire au fil de douze volumes de mémoires, intitulés avec esprit *Mes oisivetés*. Dans « La Cochonnerie ou calcul estimatif pour connaître jusqu'où peut aller la production d'une truie pendant dix années de temps », il préconise l'élevage des porcs comme moyen d'en finir avec les famines. Il voulait prouver qu'une seule truie ayant eu une première portée de six cochons pouvait, en dix générations, avoir engendré six millions de descendants ; que si l'on poussait jusqu'à la douzième génération, il y aurait de quoi nourrir toute l'Europe ; et que si l'on allait jusqu'à la seizième, il y aurait de quoi nourrir la terre entière ! Mais son génie visionnaire ne s'est pas arrêté là : en 1685, Vauban vante l'intérêt d'une « monnaie unique pour les États de Chrétienté ». Enfin, dans « La Dîme royale », il suggère de soumettre la noblesse à l'impôt pour soulager les plus pauvres « accablés de taille, de gabelle, et encore plus, de la famine qui a achevé de les épuiser » (1695). Cette fois, c'en est trop ! Les esprits du temps ne sont pas mûrs pour une telle révolution : jugé criminel, l'ouvrage de Vauban sera condamné au pilori, puis brûlé de la main du bourreau !

Or noir !

Le 1er août 1691, en l'église des Missions étrangères, actuelle Saint-Sulpice, le grand Bossuet en personne baptise un jeune Africain qui sera le premier officier de couleur de l'histoire de l'armée française.

Ce garçon vient d'Assinie, en Guinée (à l'ouest de l'actuelle Côte d'Ivoire), et se nomme Aniaba.

L'Assinie est un coin d'Afrique où la France a déjà envoyé deux missions d'exploration : la première, menée par Ducasse qui est convaincu que cette région qu'il appelle déjà la « côte de l'or » recèle des gisements d'or faramineux ; la seconde, dirigée par un certain chevalier d'Amon qui va nouer des liens avec Zena, le souverain local, pour pouvoir implanter des établissements fixes sur place.

En gage de loyauté, Zena confie au chevalier d'Amon Aniaba, qui a alors une quinzaine d'années et qu'il présente comme son fils.

Le jeune garçon est introduit à la cour de Versailles : Louis XIV lui attribue une pension digne d'un gentilhomme et demande qu'il lui soit appris à lire et à écrire. Il confie également à Bossuet son éducation religieuse, ce dont l'Aigle de Meaux s'acquittera avec cœur jusqu'au baptême de son ouaille.

Le parrain du jeune baptisé n'est autre que Louis XIV dont il prend le prénom, devenant Louis Aniaba ! Le prince d'Assinie est bientôt fait capitaine dans un régiment de cavalerie en Picardie.

Dix ans plus tard, il lui faut repartir pour succéder à un père dont on découvre qu'il n'était en fait qu'adoptif. Auparavant, au cours d'une grande cérémonie à Notre-Dame, Aniaba consacre son royaume à la Vierge et crée dans la foulée le premier ordre de chevalerie africain.

Mais à son retour chez lui, la place de roi est prise ! Déçu, le faux prince redevient animiste. Le rêve d'une Guinée chrétienne tombe à l'eau ! Quant à l'or, personne n'en a trouvé, et pour cause, celui qu'il aurait fallu chercher là-bas était l'or noir… le cacao !

Vieilles branches

L'un des tout premiers marronniers importés des Indes fut planté dans la propriété de Nicolas Boileau, dans l'actuelle villa Boileau. Le poète venait de quitter la rue du Cloître-Notre-Dame (1685), car il pensait soulager son asthme en s'installant en pleine campagne : à Auteuil !

À quelques pas de sa propre demeure, à l'emplacement de l'actuelle rue Michel-Ange (16e arr.), s'élevait une maisonnette que Boileau avait louée pour y loger son jardinier, Antoine Riquié, que lui-même qualifiait de « gouverneur » de son jardin et qui devait mourir vers 1749, âgé de 95 ans :

Laborieux valet du plus commode maître,
Qui pour te rendre heureux ici-bas pouvait naître,
Antoine, Gouverneur de mon jardin d'Auteuil,
Qui dirige chez moi l'if et le chèvrefeuille.

C'est donc cet Antoine Riquié qui planta l'un des premiers marronniers de France.

L'essence prospéra au mieux dans la capitale, puisque un siècle plus tard, les marronniers du jardin des Tuileries formaient une impénétrable futaie. Au pied de l'un d'eux furent enterrés les gardes suisses morts le 10 août 1792 en défendant la famille royale. Au printemps suivant, on nota que l'arbre s'était couvert de feuilles avant tous les autres. Bientôt, l'« arbre des Suisses » devint le lieu de pèlerinage des nostalgiques de l'Ancien Régime.

Un symbole qui ne tarderait pas à leur être disputé par les bonapartistes : en effet, ce même arbre était le seul à être en fleurs le 20 mars 1811, jour de la naissance de l'Aiglon, mais aussi le 20 mars 1815, jour du retour de l'Empereur aux Tuileries durant les Cent-Jours. De royaliste, l'arbre à la fleuraison précoce devint donc bonapartiste et fut rebaptisé « marronnier du 20 mars ». De l'habitude de voir cet arbre verdir et fleurir avant tous les autres à chaque printemps allait naître le terme de « marronnier », désignant un même sujet repris chaque année à la même époque par les journaux.

Un journal de la fin du XIXe siècle signale qu'en 1864, le marronnier du 20 mars était toujours fidèle à la tradition ; il ne mourra de sa belle mort qu'en 1911.

Les 82 marronniers plantés en 1832 place du Commerce (15e arr.) eurent un destin moins glorieux : ils furent débités en bois de chauffage au cours de l'hiver 1870-1871 (de même que les tilleuls séculaires de la rue Constantin-Pecqueur, dans le 18e arrondissement).

D'autres arbres renommés furent aussi victimes de la hache : le magnifique figuier planté devant l'hôtel de Sens, abattu sur ordre de la reine Margot en 1605 parce qu'il gênait les évolutions de son carrosse ; deux figuiers en évoquent de nos jours le souvenir et la rue se nomme rue du Figuier (4e arr.) ! Arraché lui aussi, le saule planté à partir d'un scion du saule ombrageant le tombeau de Napoléon à Sainte-Hélène et remplacé par une statue de Berlioz (square Berlioz, dans le 9e arrondissement).

Disparu également le cèdre que planta Chateaubriand près de Denfert-Rochereau. Place Ferdinand-Brunot devant l'actuelle mairie du 14e arrondissement, on planta en l'honneur de la IIIe République, en octobre 1870, un arbre de la liberté, un peuplier du bois de Vincennes. Entouré d'une grille, il restait le dernier survivant des différents arbres de la liberté dans la capitale lorsque la foudre l'abattit en juin 1936, blessant un petit garçon et sa mère. Enfin, on ne saurait évoquer tous ces arbres célèbres sans mentionner l'orme de Saint-Gervais : dès le Moyen Âge, du fait de son grand âge, il passait pour avoir été planté par des druides. Poursuivant cette tradition séculaire qui en faisait un symbole de sagesse, certains juges venaient rendre la justice sous son ombre ; ainsi saint Louis rendait-il la justice sous un chêne du bois de Vincennes. Ce vieil orme mourut en 1903. Celui que l'on voit de nos jours devant l'église a été planté en 1910 pour prolonger la tradition millénaire de l'orme de Saint-Gervais.

Quittons les arbres célèbres pour signaler que jusqu'en 1914, la ville de Paris possédait rue Robert-Estienne (8e arr.) un terrain sur lequel était stocké le produit de la taille des arbres parisiens ; ce bois était intégralement distribué aux pauvres.

Mais où donc échouent nos vieilles branches aujourd'hui ?

Le souper d'Auteuil

De la joyeuse bande d'amis qu'il constitua avec Boileau, La Fontaine, Racine, Lully, La Bruyère et Chapelle,

Molière fut le premier à s'acheter une maison à Auteuil (du côté de l'actuelle rue d'Auteuil, dans le 16e arrondissement). De 1667 à 1772, il y habitera aux beaux jours et s'y rendra en utilisant la galiote qui allait du Louvre à Saint-Cloud.

C'est dans cette maison qu'eut lieu le célèbre « souper d'Auteuil » décrit par Louis Racine, fils aîné du poète. Et voici ce que celui-ci raconte : fins soûls, les convives sombrent dans la mélancolie et les considérations amères sur les misères de la vie, déclamant des maximes comme « Le premier bonheur est de ne pas naître et le second est de mourir. » Du coup, les compagnons de beuverie désespérés décident d'aller se jeter ensemble dans la Seine. Aussitôt dit aussitôt fait : on se dirige vers le fleuve. En chemin, Molière fait remarquer à ses amis qu'il serait tout de même dommage de se jeter à l'eau de nuit, sans aucun témoin et sans qu'une aussi belle action puisse passer à la postérité.

Chapelle propose donc de remettre au lendemain de plein jour, et d'ici là d'aller terminer le vin qu'il leur reste. Une sage décision qui conservera à la littérature française du XVIIe siècle certains de ses plus beaux fleurons.

Après Molière, Racine puis Boileau (douze ans après la mort de Molière) achèteront également une maison à Auteuil. Boileau y vivra près de vingt-quatre ans et y recevra les membres de la « bande » encore en vie.

Mise en boîte

Louis XI inventa la poste, Richelieu l'ouvrit au public, mais le nom du Parisien Jean-Jacques Renouard de Villayer, conseiller au Parlement, inventeur de la première boîte aux lettres, est passé aux oubliettes : c'est pourtant lui qui, en 1653, fit placer des boîtes murales à l'angle des principales rues de Paris. Déjà à l'époque, les Parisiens apprécièrent de ne plus avoir à faire la queue dans les trop rares bureaux de poste de la capitale (quatre seulement en 1650), puisque les boîtes se multiplièrent rapidement pour être 500 en 1780. Villayer créa aussi un « billet de port » pour que ce soit l'expéditeur du courrier et non plus son destinataire qui assume le coût d'acheminement.

Lorsque la Monnaie de Paris imprime le premier timbre-poste français, le 1er janvier 1849, les Anglais ont déjà inventé le timbre depuis neuf ans ! Du coup, le Royaume-Uni est le seul pays au monde à être dispensé de faire figurer son nom sur ses timbres. On peut aller voir ces ancêtres de la philatélie, dont le « un penny noir reine Victoria », au musée de la Poste situé non loin de la tour Montparnasse. Ce sera aussi l'occasion de découvrir que Charles Perrault s'est inspiré des bottes géantes que portaient les postillons au XVIIe siècle pour les fameuses bottes de sept lieues que porte l'ogre dans *Le Petit Poucet*. Pourquoi « de sept lieues » ? Parce que les relais de poste étaient distants d'environ 7 lieues, c'est-à-dire 28 kilomètres les uns des autres. Comme ils étaient toujours à cheval (contrairement aux cochers qui conduisaient leur attelage depuis la voiture), les postillons portaient d'immenses bottes renforcées de fer fixées à leur monture, ce qui leur permettait de se maintenir et de protéger leurs jambes en cas de choc, de morsure ou dans le cas où, ayant chuté, ils se feraient accidentellement rouler dessus par leur chaise de poste. On sera surpris d'apprendre que l'on a utilisé des bottes de sept lieues en France jusqu'en 1840…

Un passage au musée de la Poste devrait être l'occasion d'une autre révélation tout aussi précieuse : l'expression « à dada sur mon bidet » n'a rien à voir avec un article de salle de bains, mais désigne le cheval qu'utilisaient les relais de poste !

Au feu les pompiers !

Jusqu'à l'aube du XVIIIe siècle, lorsque survient un incendie dans Paris, on combat le feu tant bien que mal à l'aide de haches, de seaux, de crocs et même de seringues à manivelle !

C'est un gentilhomme provençal aventureux et inventif, Dumouriez du Périer, laquais de Molière, puis sociétaire de la Comédie-Française et enfin homme d'affaires, qui au cours d'un voyage en Hollande découvre un nouveau système de lutte contre l'incendie : une pompe à main munie de longs tuyaux de cuir permettant de conduire l'eau jusqu'au lieu du sinistre. Au culot, Dumouriez propose à Louis XIV d'introduire cette pompe en France et de créer un corps spécial d'ouvriers qu'il rémunérera. Le corps des pompiers de Paris est né. À ses débuts, il compte 12 hommes ! En 1712, Dumouriez, qui a définitivement quitté les planches pour les pompes, prend le titre de « directeur des pompes ». En 1722, le nombre de « gardes pompes » est porté à 60.

La première maison des pompes parisiennes se trouvait au 30, rue Mazarine (6e arr.). Dumouriez y logera jusqu'à sa mort en 1723, avec ses 32 enfants ! (L'un de ses nombreux petits-fils sera d'ailleurs le vainqueur de Valmy en septembre 1792.)

Dumouriez était « directeur des pompes » et ses subalternes « gardes pompes » ; mais ils n'étaient ni organisés en corps militaire, ni qualifiés de « sapeurs-pompiers » : cela, nous le devons à Napoléon Ier.

C'est l'incendie de l'ambassade d'Autriche, rue de la Chaussée-d'Antin (9e arr.) à Paris, en 1810, qui va le pousser à créer le corps des sapeurs-pompiers.

L'ambassadeur avait organisé une grande fête pour célébrer le mariage de Napoléon avec Marie-Louise ; il avait fait construire une grande salle en bois (décorée de riches draperies et peinte à l'alcool parce que cela séchait plus rapidement) pour accueillir ses quelque 1 500 invités, dont bien sûr la fine fleur de l'aristocratie.

Hélas, la chute d'une bougie déclenche un incendie qui embrase la salle en quelques instants. L'empereur fait sortir l'impératrice, puis reste toute la nuit pour porter secours aux victimes. Il y a une dizaine de morts, une centaine de brûlés graves. Profondément meurtri par cet accident, Napoléon prit la décision de créer un corps de pompiers professionnels. Un décret du 18 septembre

1811 vint entériner cette décision et c'est ainsi que le nom et la fonction de « sapeur-pompier » sont nés officiellement.

Pour en apprendre davantage sur l'histoire des pompiers de Paris, il suffit de se rendre au musée de la Tradition des pompiers dans le 17e arrondissement. On y verra pompes rutilantes, uniformes, sabres et casques cabossés ainsi qu'un objet emblématique de 26 mètres de hauteur mis au point en 1911 : la première grande échelle !

Maisons natales de Molière ?

Sur l'immeuble du 31, rue du Pont-Neuf, une magnifique inscription surmontée d'un buste de Molière signale que l'auteur dramatique naquit en ces lieux en 1620. Grossière erreur ! Car Molière est né deux ans plus tard en 1622, et sa maison natale se trouvait au n° 96 de la rue Saint-Honoré, une maison appelée « pavillon des Singes » parce qu'elle était agrémentée depuis 1539 d'un poteau de bois sculpté représentant sept singes grimpant sur un oranger et jetant les fruits au sol à un vieux singe. C'est bien là, et non ailleurs, que Molière et ses huit frères et sœurs vécurent leurs premières années. Comme Cyrano de Bergerac était né en 1619 et habitait à quelques pas de là, rue des Prouvaires (1er arr.), peut-être les deux jeunes gens allèrent-ils ensemble tout près de chez eux, place de la Croix-du-Trahoir, voir appliquer l'essorillement (mutilation des oreilles) aux serviteurs indélicats ?

Mais pour en revenir à la rue du Pont-Neuf, en y faisant mettre une plaque après la Révolution (8 pluviôse an VIII), Alexandre Lenoir, directeur du musée des Monuments français, a donc estampillé une fausse maison natale !

Une fausse maison natale où le compositeur Richard Wagner logea lors de son premier séjour en France ; l'immeuble avait alors été transformé en hôtel et Wagner, tout à sa joie de séjourner dans un lieu aussi illustre, écrivit à son épouse que loger dans la maison natale de Molière ne manquerait pas de lui porter bonheur : grossière erreur une fois encore, car son premier séjour parisien fut un échec absolu.

Alexandre Lenoir, spécialiste de l'estampillage intempestif des maisons natales parisiennes, aurait mieux fait de s'intéresser à la rue de Richelieu (1er arr.) : tout d'abord parce que Molière habita différents immeubles de cette rue qui était aussi celle du théâtre du Palais-Royal, un lieu essentiel dans le cours de sa carrière (il y donna ses premières pièces, *Sganarelle ou le Cocu imaginaire* et *Le Dépit amoureux*, le 20 janvier 1661). Ensuite, parce qu'au n° 21 logeait le conseiller Foucault, célèbre dans le quartier pour sa manie de porter à toute heure du jour sa robe de chambre et son bonnet de nuit, oripeaux dont on raconte que Molière parvint à se les procurer pour les revêtir le jour où il créa le rôle d'Argan. Enfin, parce que c'est au n° 40 de la rue de Richelieu que mourut le comédien, le vendredi 17 février 1673 à dix heures du soir, après la quatrième représentation du *Malade imaginaire*.

La Comédie-Française possède toujours le fauteuil dans lequel Molière était assis lorsqu'il fut pris de malaise. C'est un meuble hors d'âge, désormais protégé par une cage de verre. Il n'en sort qu'une fois par an, le 15 janvier, jour anniversaire de la naissance du Maître !

À la trappe !

Les enfants abandonnés furent longtemps si nombreux dans Paris que le parlement, par un arrêt de 1579, fit obligation à chaque curé de secourir ceux de sa paroisse. Pour un Parisien, trouver un nourrisson sur le seuil de sa porte n'a alors rien d'extraordinaire !

En 1638, saint Vincent de Paul fonde la première institution d'accueil pour enfants trouvés, dite « maison de couche », qui deviendra en 1670 l'hôpital des Enfants trouvés (actuel hôpital Saint-Vincent-de-Paul). Malgré la naissance de cet embryon de prise en charge des enfants abandonnés, le phénomène s'aggrave au XVIIIe siècle si grande est la misère du temps : en 1660, année même de la mort de saint Vincent de Paul, on enregistrera encore 438 abandons puis, quarante ans plus tard en 1700, ce seront 1 000 enfants trouvés à Paris, et 5 000 à la veille de la Révolution.

Dans son *Histoire de Paris*, Jean Favier précise qu'un enfant sur quatre meurt dans les cinq jours qui suivent son abandon et que deux enfants abandonnés sur trois meurent avant d'atteindre leur premier mois. Malgré cette sévère mortalité infantile, vers 1820, la municipalité parisienne entretient 27 500 enfants qu'elle livre à eux-mêmes quand ils atteignent l'âge de 12 ans !

Pour augmenter les chances de survie des nouveau-nés, on aménage donc dans les murs des hôpitaux des « tours d'abandon », sortes d'habitacles pivotant à la manière d'un tourniquet. Dans un premier temps, infanticides et mortalité infantile diminuent ; un décret impérial de 1811 légalisera donc les « tours ». Mais on réalise à la longue qu'ils incitent à l'abandon plus qu'ils n'en dissuadent : ils seront donc définitivement interdits en 1861.

Le musée de l'Assistance publique installé dans le magnifique hôtel de Miramion, quai de la Tournelle (5e arr.), expose l'un de ces tours d'abandon, ainsi que d'autres objets poignants laissés sur des enfants : rubans, médailles, amulettes contenant un pied de taupe supposé apaiser les douleurs dentaires des nourrissons, mais surtout des lettres. L'une d'elles concerne un nouveau-né déposé le 16 novembre 1717 par sa mère, la marquise de Tencin, sur les marches de l'église Saint-Jean-le-Rond dont l'enfant prendra le nom. Le document mentionne la « boette de bois de sapin » dans laquelle le nourrisson nouvellement né avait été abandonné, exposé et trouvé. L'enfant sera recueilli par Étiennette Gabriel Ponthieux, femme du vitrier Rousseau.

À propos, peut-être ce patronyme de Jean le Rond ne vous dit-il rien ? C'est que Jean Le Rond, mathématicien, philosophe et encyclopédiste, membre de l'Académie des sciences est mieux connu sous le nom de… d'Alembert !

Vider la corbeille ?

Créée sous Louis XV, en 1724, pour mettre un peu d'ordre dans le monde de la finance après la désastreuse faillite de Law qui ruina de nombreux spéculateurs, la première « bourse de Paris » se tint galerie Mazarine jusqu'en 1793, puis s'installa successivement au Louvre, dans l'actuelle église Notre-Dame-des-Victoires, au Palais-Royal et rue Feydeau (2e arr.), dans l'ancien magasin des décors de l'Opéra. En 1800, elle ne comptait que 7 titres cotés, en 1826, 26 et 800 en 1900.

En 1808, un décret impérial céda à la ville de Paris un terrain occupé jusqu'à la Révolution par les sœurs de Saint-Thomas-d'Aquin, afin qu'on y construise à la fois la Bourse et le Tribunal de commerce. La réalisation de ce nouveau temple de la finance fut confiée à Théodore Brongniart. Brongniart mourut en 1813 sans avoir vu son œuvre terminée, du coup son convoi funèbre vint faire une halte devant la Bourse !

C'est l'architecte Labarre qui prend le relais, et le bâtiment, qui sera le premier édifice parisien à bénéficier du chauffage central, est inauguré le 3 novembre 1826.

Son accès ayant été interdit aux femmes jusqu'en 1967, ce sont donc de virils agents de change qui chaque jour à l'heure du déjeuner se pressaient à la corbeille, un cercle de quatre mètres de diamètre, entouré d'une balustrade et garni en son milieu de sable fin pour des raisons acoustiques. Après 160 ans de bons et plus ou moins loyaux services, la fameuse corbeille rendue obsolète par la révolution informatique sera démontée le 14 juillet 1987 pour devenir une pièce de musée (exposée depuis au musée de la Bourse situé au premier étage du Palais Brongniart) ; on aimerait bien pouvoir en dire autant des crises boursières !

Signes de vie

La place François-Truffaut ? Difficile de la dénicher car elle se trouve à l'intérieur de l'Institut national des jeunes sourds-muets, premier établissement du genre créé sous la Révolution française.

En fait, c'est l'abbé de l'Épée (1712-1789) qui à la suite de sa rencontre avec deux jeunes sourdes crée une école à leur intention en 1760 ; mais c'est sous la Révolution que le premier établissement public et gratuit voit le jour. En 1791, l'Assemblée nationale lui affecte l'ancien monastère des Célestins de la rue Saint-Jacques (5e arr.). Cent vingt élèves s'installent donc ici le 1er avril 1794. Jusque-là, les enfants sourds-muets cohabitaient avec les aveugles de Valentin Huy et, comme tous devaient s'assumer, les uns se spécialisèrent dans le rempaillage de chaises et l'accordage de pianos, les autres dans l'imprimerie : ils réaliseront notamment des assignats !

La bibliothèque de l'Institut, dont le fonds consacré à la surdité et au langage des signes est le plus riche au monde, expose quelques souvenirs : de nombreuses œuvres d'art, notamment des miniatures, exécutées par les élèves, et une modeste et bien mystérieuse plaquette de bois munie d'une chaînette. De quoi s'agit-il ? Tout simplement d'un « bois pipi », pendentif destiné à justifier la présence dans les couloirs de l'enfant incapable encore d'en exprimer la raison !

Au fait, pourquoi une place François-Truffaut ? Parce que c'est ici qu'il tourna *L'Enfant sauvage* en 1969 et parce que lui-même, on le sait moins, était malentendant.

Le ci-devant rhinocéros

Galerie de paléontologie du Jardin des plantes. Ici, les squelettes de dinosaures et de mammouths accaparent l'attention des visiteurs. Perdu parmi ces immenses carcasses, un modeste squelette de rhinocéros mériterait pourtant un temps d'arrêt.

Cet animal fut offert à Louis XV par Chevalier, gouverneur français de Chandernagor. L'animal ayant voyagé à bord d'un navire baptisé *Duc de Praslin,* du nom du ministre de la Marine de Louis XV, il fut lui aussi prénommé Praslin, et arriva à Versailles le 11 septembre 1770 après un voyage de neuf mois.

Certes, deux autres rhinocéros l'avaient précédé sur notre sol où l'on n'avait plus vu semblable animal depuis l'Antiquité : le premier se nommait Ganda. Il appartenait au roi du Portugal qui décida de l'offrir au pape en gage de bonne volonté. En juin 1516, le bateau qui devait convoyer l'animal en Italie fit escale sur l'île d'If où François Ier, qui se trouvait alors en pèlerinage à

Saint-Maximin-La-Sainte-Baume, fit le déplacement tout exprès avec sa cour pour venir le voir.

Puis, il y eut le rhinocéros du capitaine de vaisseau Van der Meer, un marin hollandais qui gagnait sa vie en exhibant son animal en Europe. En 1749, à la foire Saint-Germain, en plein Paris, on vit donc pour la première fois une créature de cette espèce. Mais ce mammifère ne fit chez nous qu'un court séjour, ce qui permet de qualifier Praslin de « premier rhinocéros français » !

En 1792, les sans-culottes ayant envahi le château de Versailles s'en prennent aussi à la ménagerie. Le rhinocéros royal reçoit un coup de sabre au flanc. Meurt-il pour autant des suites de cette blessure ? Brûlante question sur laquelle aujourd'hui encore s'interrogent d'éminents paléontologues.

Certains avancent que l'entaille encore visible faite par le sabre s'est recalcifiée. La malheureuse bête aurait donc survécu sans séquelles à cet attentat politique ! D'autres évoquent une note où le naturaliste Cuvier raconte que l'animal laissé à l'abandon est mort dans son bassin le 2 vendémiaire an II (23 septembre 1793).

Quoi qu'il en soit, sa dépouille fut transférée au Jardin des plantes le 25 septembre. Hélas, en deux jours la bête avait terriblement gonflé. L'illustre naturaliste Daubenton n'en tint aucun compte lorsqu'il en prit les mensurations. Il communiqua donc à ses subordonnés les mesures d'un animal boursouflé.

N'osant pas les remettre en cause car relevées par le maître, les taxidermistes vont créer un animal empaillé bien plus gros que nature. C'est lui qui est exposé aujourd'hui à la Grande Galerie de l'Évolution, à quelques encablures de son squelette : un rhinocéros tout à la fois victime de la Révolution et du respect de la hiérarchie !

Fausses notes

Mozart fit trois séjours à Paris, mais c'est le premier d'entre eux qui a laissé la plus grande trace dans notre histoire.

La première fois qu'il découvre Paris, il n'a pas 7 ans. Il arrive vers la fin du mois de novembre 1763 accompagné de son père Léopold Mozart, directeur de musique du prince archevêque de Salzbourg, et de sa sœur Maria-Anna, dite Nannerl, âgée de 11 ans.

Les Mozart logent à l'hôtel de Beauvais, rue François-Miron, chez le comte van Eyck, ambassadeur de Bavière. (Un hôtel dont nous avons déjà signalé à nos lecteurs qu'il appartenait un siècle auparavant à Catherine Bélier, devenue baronne de Beauvais pour avoir déniaisé le jeune Louis XIV.)

Chaque jour, Léopold va entendre des chœurs à Paris ou à Versailles, mais pas de musique pour voix seule car il la trouve « vide, glacée, misérable, c'est-à-dire française ! »

C'est au cours de ce premier séjour que Grimm, qui est alors secrétaire du duc d'Orléans, introduit les Mozart à la Cour.

Wolfgang est donc reçu par Mme de Pompadour. La scène est restée célèbre, car la favorite de Louis XV refusera de l'embrasser. Le petit Wolfgang indigné aurait alors fait remarquer que l'impératrice Marie-Thérèse l'avait, elle, bel et bien embrassé. L'enfant prodige rencontre également la reine Marie Leszczynska et là, les choses se passent mieux, car elle parle avec lui en allemand et surtout, le bourre de gâteaux.

Le 10 mars 1764, Nannerl et Wolfgang donnent leur premier concert public à Paris, salle de *Monsieur Felix*, rue Saint-Honoré. « Il a une si grande habitude du clavier que l'on peut étendre une serviette dessus sans que cela l'empêche de jouer avec la même exactitude et de la même vitesse », peut-on lire dans le journal *L'Avant-coureur* qui annonce le concert.

Si le séjour de 1766 se déroule agréablement (Mozart a alors 10 ans), ce fut le dernier séjour parisien, en 1778, qui, lui, se passa mal : Mozart a 22 ans. Il a déjà produit une œuvre importante mais pas encore ses chefs-d'œuvre.

Il envisage de donner des leçons de musique : à Paris elles sont payées trois louis d'or pour douze séances ; par ailleurs, des souscriptions permettent aux musiciens de faire graver leurs œuvres. Donc, Mozart arrive plein d'espoir. Mais bientôt, chez la duchesse de Chabot, il doit jouer « pour les fauteuils » sur un mauvais piano. Certes, on lui offre une place d'organiste à Versailles, mais il devrait y vivre six mois par an ce dont il n'a aucune envie. Rien ne se passe comme il l'avait imaginé.

Mozart est malheureux à Paris et l'écrit : « Si Paris était un lieu où les gens eussent des oreilles, du cœur pour sentir et un tant soit peu d'intelligence et de goût pour la musique, je rirais de bon cœur de tout cela. Mais je ne suis entouré que de brutes et d'imbéciles (au point de vue de la musique). [...] Les Français n'ont plus, à beaucoup près, autant de politesse qu'il y a quinze ans ; ils frisent maintenant la grossièreté et sont horriblement orgueilleux. »

Épilogue tragique de ce dernier séjour, sa mère, gravement malade, meurt le 3 juillet à l'auberge des Quatre-Fils-Aimont, rue du Gros-Chenet, probablement pour avoir bu une eau insalubre. Mozart reste quand même à Paris et donne des leçons à la fille du duc de Guise... qui ne le paye pas.

Pas rancunier, il composera tout de même sa *Symphonie en ré* K. 297 dite... « Parisienne ».

Dans le bain...

Le « barbier étuviste » Poitevin crée en 1761 le premier bain chaud flottant, près des Tuileries. On y mijote et l'on s'y décrasse ! Mais l'idée d'un bain où ne faire que nager n'apparaît qu'en 1786, lorsque Barthélemy Turquin crée l'ancêtre de la piscine près du quai de la Tournelle : un bain auquel est liée une école de natation installée directement sur la Seine et délimitée par quatre bateaux.

Le gendre de Turquin, dont le patronyme « Deligny » ne surprendra personne, crée sa propre école de natation en 1808, le long du quai Anatole-France (7e arr.), à proximité du pont de la Concorde. Ce genre d'établissements fait florès puisque c'est dans l'un d'eux, les fameux « bains chinois » installés à la pointe de l'île Saint-Louis, que Louis-Philippe et ses frères apprendront à nager.

Lorsque des années plus tard, les héritiers de Deligny décident de rénover l'établissement familial, ils rachètent la barge cénotaphe décorée par Philastre et Cambon, utilisée en décembre 1840 pour la cérémonie de retour des cendres de Napoléon aux Invalides. Voilà donc l'impériale embarcation recyclée en vulgaire pataugeoire !

Lorsqu'elle fut victime d'une mystérieuse explosion le 8 juillet 1993, Deligny était la dernière piscine flottante parisienne ; ce monument historique avait compté jusqu'à 340 cabines ! Depuis, la piscine Joséphine Baker amarrée au pied de la Très Grande Bibliothèque lui a succédé. Les Parisiens peuvent donc à nouveau faire des longueurs « sur » la Seine, tout en méditant utilement sur deux étapes cruciales de l'histoire des piscines parisiennes : l'inauguration le 8 juillet 1884, rue de Château-Landon (10e arr.), de la première piscine couverte chauffée, et l'instauration en 1924, à la piscine de la Butte-aux-Cailles (13e arr.), de la douche obligatoire avant le bain !

Jupons volent

L'année 1783 fut celle de toutes les inaugurations aéronautiques parisiennes – ou presque. Dans la foulée du premier envol « à vide » d'une montgolfière depuis le Champ-de-Mars (le 27 août), les pionniers de la conquête de l'air vont relever d'autres défis. D'abord, le 19 septembre, celui du premier vol habité... par un mouton, un coq et un canard, dont l'aérostat décolle du château de Versailles devant la Cour médusée.

Les animaux ayant survécu à leur équipée, on peut donc envisager de passer à l'homme.

C'est au chimiste Pilâtre de Rozier et au marquis d'Arlandes que reviendra, le 21 novembre, le titre de « premiers aéronautes ». Partis de la Muette, ils se posent sans dommages vingt minutes plus tard à la Butte-aux-Cailles. Enfin, le 1er décembre, d'autres pionniers de l'aérostation, Alexandre César Charles et Nicolas Louis Robert Charles décollent des Tuileries dans le premier ballon à hydrogène, devant 4 000 spectateurs. Ils naviguent jusqu'à l'Isle-Adam après avoir atteint une altitude de 3 000 mètres. La pesanteur vaincue, l'intérêt du public décroît progressivement, les ballons se banalisent. Et la Révolution donnera bientôt d'autres soucis aux Parisiens.

Il faudra attendre 1798 pour qu'une nouvelle « première » soit tentée. Cette année-là, en effet, l'aéronaute Garnerin (auteur, le 22 octobre 1797, du premier saut en parachute) annonce l'ascension d'une « jeune personne du sexe ». En réalité, dès le 20 mai 1784, une femme était montée en ballon aux côtés de Pilâtre de Rozier. Mais c'était un vol « captif », la nacelle étant restée attachée à une corde au-dessus de la manufacture Réveillon, rue de Montreuil (11e arr.). Cette fois, Garnerin suggère un vol « libre ». Le projet, jugé inconvenant et risqué (on s'inquiète de l'effet produit par l'altitude sur les « fragiles » organes féminins !), est tout d'abord interdit par la police, avant d'être finalement autorisé. Le 1er mai, plaine Monceau (8e arr.), la citoyenne Ernestine Henry embarque dans la nacelle qui la conduira au bout du monde… à

Gonesse. Une intrépide jeune femme qui fut, au vrai sens du terme, la première « hôtesse » de l'air !

Foudre de guerre

Le 28 décembre 1776, Vergennes, ministre des Affaires étrangères de Louis XVI, accueille Benjamin Franklin (1706-1790) avec tous les égards dus à son rang : il est en effet le premier ambassadeur à la cour de Versailles de la toute jeune nation américaine. Lui-même n'est pourtant pas de toute première jeunesse : il affiche sereinement ses 70 ans !

L'indépendance des États-Unis est proclamée depuis le 4 juillet 1776. Franklin, missionné pour obtenir des alliés français les subsides nécessaires à la rébellion contre les Anglais, a débarqué à Auray, dans le Morbihan, et filé aussitôt sur Paris. Il connaît bien notre capitale. Il y a notamment séjourné durant l'été 1767 et fut déjà présenté à Louis XV comme représentant alors officieux des Amériques. Et, surtout, la gloire acquise grâce à ses expériences sur l'électricité l'a précédé dans la capitale (il invente le paratonnerre en 1752).

C'est donc une star américaine qui débarque chez nous pour son troisième séjour.

Pendant près de dix ans, il habitera l'hôtel de Valentinois, au coin de la rue Raynouart et de la rue Singer (aujourd'hui école Saint-Jean-de-Passy, dans le 16e arrondissement), après y avoir déjà logé gracieusement dans une petite dépendance appelée « la basse-cour ».

Le « tout-Paris » scientifique et littéraire se presse là pour le rencontrer : Turgot, Buffon, d'Alembert, Condorcet, Beaumarchais, Mirabeau… Membre depuis quatre ans de l'Académie des sciences, il y retrouve avec effusion Voltaire, son frère de la loge des Neuf Sœurs dont lui-même est Grand Maître. Apprécié pour son humour et son esprit, Franklin est aussi un hôte averti : il a dans sa cave près de 1 500 bouteilles de vin !

Les dames de la Cour sont aussi sous le charme du « gentleman de Passy » : elles portent la robe « paratonnerre » ou encore la coiffure « à la Boston », ville natale du grand homme, et quêtent même pour offrir un navire de guerre à la flotte américaine !

Franklin, l'homme de sciences, fera placer rue Raynouart le premier paratonnerre construit en France. Et comme il avait été imprimeur avant de devenir diplomate, il y fera imprimer sur ses propres presses la première constitution américaine en français et les tout premiers passeports américains.

Père fondateur de l'Indépendance, il signera les quatre documents majeurs de la naissance des États-Unis : la Déclaration d'indépendance (signée à Paris en 1776 ; rappelons d'ailleurs au passage que la France fut le premier pays au monde à reconnaître l'indépendance des États-Unis), le traité avec la France (1778), la paix avec l'Angleterre (1783) et la Constitution américaine (1787).

À l'annonce de sa mort, le 12 juin 1790, l'Assemblée constituante ajournera sa séance. Un mois plus tard, le 14 juillet, à la fête de la Fédération, sur le Champ-de-Mars, la bannière aux 13 étoiles, le *stars and stripes*, sera pour la première fois de son histoire déployée hors du sol américain.

Jefferson day's

Le plus parisien et le plus francophile de tous les présidents américains fut indéniablement Thomas Jefferson (1743-1826), troisième président de l'histoire des États-Unis. Il vécut cinq ans à Paris, entre 1784 et 1789, où il succéda alors à Benjamin Franklin comme ambassadeur des États-Unis.

Avocat de formation, Jefferson arrive en France précédé de sa réputation de rédacteur de la Déclaration d'indépendance américaine, un document rédigé trois ans auparavant (1787). Il a alors une quarantaine d'années.

À Paris, après avoir résidé dans plusieurs hôtels particuliers, dont l'hôtel des Monnaies, Jefferson se fixe à l'hôtel de Langeac du côté des Champs-Élysées. Tout comme le fit avant lui Franklin dont l'entremise lui sera précieuse dans ses débuts parisiens, il va fréquenter tout ce que Paris compte de beaux esprits, d'Alembert, Condorcet, Buffon et Jean-Baptiste Say.

Esprit brillant, il deviendra « associé étranger de l'Académie des inscriptions et belles lettres », et membre puis président de la Société philosophique américaine.

Jefferson parlait très bien le français : en la matière, ce vieux polisson de Franklin lui avait suggéré de se procurer le meilleur des dictionnaires : un dictionnaire « aux cheveux longs » ! Mais il parlait tout aussi bien l'espagnol, l'italien, le latin et le grec. Il était capable de lire la *République* de Platon dans le texte.

Que pensait-il de Paris ? Il trouvait les mœurs de ses habitants dissolues ! Et de la France ? Qu'elle vivait sous un régime tyrannique.

Comme il sera présent à Paris au tout début de la Révolution, il va étudier, commenter et annoter le projet de « Déclaration des droits de l'homme et du citoyen » présenté par La Fayette.

Lorsqu'il rentrera dans son pays en novembre 1789, Jefferson n'y rapportera pas que de grandes idées ! Comme Benjamin Franklin qui avait une cave réputée dans le tout-Paris, Jefferson était aussi amateur de grands vins et de bonne cuisine ; il revint avec beaucoup de bonnes bouteilles et pendant sa présidence, il offrira toujours les meilleures à ses convives. Il fera même pousser de la vigne française à Monticello, sa propriété en Virginie, mais elle sera affaiblie par des maladies locales.

Lorsqu'il fera construire Monticello, il s'inspirera de l'hôtel de Salm, actuelle Grande Chancellerie de la Légion d'honneur près du musée d'Orsay. Monticello est la copie conforme de ce gracieux palais du quai d'Orsay. Jefferson mourra à 83 ans, le jour même du cinquantième anniversaire de l'Indépendance américaine, le 4 juillet 1826.

Si vous voulez rendre hommage à ce grand homme, vous pourrez vous rendre au jardin du Luxembourg, à l'angle de la rue Guynemer et de la rue de Vaugirard (6e arr.) : les vénérables marronniers qui se trouvent dans cette partie du jardin ont été plantés à partir de marrons récoltés à Monticello.

L'ami américain

Le 6 septembre 1757 naissait le plus célèbre engagé volontaire français dans la guerre de l'Indépendance américaine : major général à 20 ans, aimé comme un fils par George Washington (qui n'avait que des filles !), il fut le héros du premier 14 juillet de notre histoire, célébré au Champ-de-Mars lors de la fête de la Fédération (14 juillet 1790). Les Parisiens l'idolâtraient littéralement, le considérant comme « le fils aîné de la Liberté ! »

Très doué pour mener des hommes sur un champ de bataille, Marie Joseph Paul Yves Roch Gilbert Motier, marquis de La Fayette, le fut cependant moins pour la politique puisque, à la suite de son aventure américaine, il ne connut plus que des échecs : en 1830, porté par la foule, il aurait pu proclamer la République dont Chateaubriand écrivit cruellement qu'il en « rêvassait », mais il se montra trop velléitaire.

Alors qu'une montagne, sept comtés et quarante localités portent son nom aux USA, alors qu'une statue de lui a été érigée face à la Maison Blanche et qu'il a été fait « citoyen d'honneur des États-Unis », ce dont seuls sept grands hommes ont été gratifiés[1], que reste-t-il de lui

1. Ont été faits citoyens d'honneur des États-Unis, distinction réservée à des personnalités n'ayant pas la nationalité américaine : Winston Churchill (1963), Raoul Wallenberg (1981), William Penn et son épouse Hannah (1984, fondateurs de la Pennsylvanie), mère Teresa (1996), La Fayette (2002), Kazimierz Pulaski (2009, héros polonais de la guerre d'Indépendance des États-Unis).

à Paris ? L'hôtel particulier du 8, rue d'Anjou (8e arr.) près de la place de la Concorde, où il mourut le 20 mai 1834 à l'âge de 77 ans, est aujourd'hui un restaurant ; et une rue porte son nom.

La Fayette fut enterré près de son épouse au petit cimetière de Picpus et, conformément à ses dernières volontés, son cercueil fut recouvert d'un peu de terre prise dans la propriété que possédait George Washington à Mont-Vermont, au bord du Potomac.

Chose extraordinaire, la bannière étoilée pavoisant sa tombe fut la seule de tout Paris à n'avoir jamais cessé de flotter durant l'Occupation. Tous les ans, le 4 juillet, jour anniversaire de l'Indépendance américaine, l'ambassadeur des États-Unis se rend au cimetière de Picpus pour déposer une gerbe sur la tombe du « héros des deux mondes ».

En 2007, il a été question de transférer les restes de La Fayette du cimetière de Picpus au Panthéon. Certains se sont opposés à ce projet arguant du fait que le marquis n'avait jamais été républicain mais monarchiste. À quoi le biographe de La Fayette, Gonzague Saint Bris, répondit avec fougue : « Les hommes d'exception ont toujours servi l'intérêt de la France plus que celui d'un régime, que ce soit au temps de la Monarchie ou de la République. »

PAC au balcon

Café *Procope*, ancienne rue des Fossés-Saint-Germain (actuelle rue Ancienne-Comédie, dans le 6e arrondissement), ce 27 avril 1784.

Un habitué des lieux, Pierre Augustin Caron de Beaumarchais, patiente à sa table.

En ce moment même, on donne non loin d'ici au Théâtre-Français (actuel Odéon) la première représentation publique de sa pièce *Le Mariage de Figaro ou la Folle Journée.*

Beaumarchais connaît bien le quartier ; il a habité dix ans le 26, rue de Condé. Aujourd'hui encore, on peut d'ailleurs voir son monogramme « PAC » dans les ferronneries des balcons d'un immeuble qui de nos jours abrite les éditions du Mercure de France.

L'homme est anxieux. Il n'en est pas à ses premières armes d'auteur dramatique, mais cette fois, il s'est vraiment mis en danger : avant même d'être jouée sa pièce a déjà fait scandale puisque six longues années viennent de s'écouler en lectures aux censeurs et protecteurs, en suppliques au roi lui-même. Instances, démarches, remaniements, jusqu'à ce jour rien n'y avait fait. Louis XVI a bien senti ce qu'il y a de subversif, de trop libre dans cette pièce qui remet en cause l'organisation de la société. Il ne s'y est pas trompé : dès le lendemain de la première, tout-Paris répétera à l'envi les répliques provocatrices du valet Figaro s'adressant à son maître le comte Almaviva : « Parce que vous êtes un grand seigneur, vous vous croyez un grand génie ! Noblesse, fortune, un rang, des places ; tout cela rend si fier ! Qu'avez-vous fait pour tant de biens ? Vous vous êtes donné la peine de naître et rien de plus ! »

En mars 1785, Beaumarchais sera emprisonné cinq jours à Saint-Lazare pour s'être plaint à mots couverts dans

Le Journal de Paris des réticences royales à autoriser que soit jouée la pièce.

Le Mariage de Figaro remporte néanmoins le plus grand triomphe de toute l'histoire de la Comédie-Française : plus de cent représentations en quatre ans. C'est un succès de fronde politique, l'« éclair annonciateur » de la Révolution française.

Quant aux censeurs de la pièce ? Seul le nom du plus virulent d'entre eux est parvenu jusqu'à nous : Jean-Baptiste Suard (1732-1817), critique littéraire et homme de lettres. Nommé censeur des pièces de théâtre par Louis XV, un poste qu'il occupera jusqu'en 1790, il va donc pouvoir seize ans durant s'opposer à la représentation de toutes les pièces qu'il juge sulfureuses et dont l'acceptation pourrait lui attirer des ennuis dans sa carrière.

Le 21 janvier 1793, jour de l'exécution de Louis XVI, il sera le seul académicien à se rendre à la séance de travail, touchant ainsi les jetons de présence de l'ensemble de ses collègues.

Chic garçon, non ?

Rien à déclarer ?

Lorsque Claude Nicolas Ledoux, architecte de Louis XVI, entreprend en 1785 la construction du mur des Fermiers généraux, c'est la première fois que l'on édifie une enceinte autour de Paris non pour en protéger les habitants, mais pour les forcer à payer l'octroi sur les marchandises qu'ils prétendent y faire entrer. Le nouveau « mur murant Paris » fait donc l'unanimité contre lui : « Pour augmenter son numéraire et raccourcir notre horizon, la ferme a jugé nécessaire de mettre Paris en prison. » Et en effet, ce ne sont pas moins de 54 barrières qui sont mises en place autour de la capitale, dont certaines agrémentées de monuments appelés poétiquement « propylées » par leur concepteur mais qui, derrière cette terminologie antique, n'en cachent pas moins la nécessité tout à fait moderne de faire cracher les Parisiens au bassinet !

Du coup, la fraude va bon train : on dresse des échelles contre les murs, on passe par les carrières, on creuse des souterrains. Deux jours avant la prise de la Bastille, presque toutes les barrières bouclant la ville sont incendiées.

Supprimé en 1791, l'octroi est rétabli en 1798, agrémenté du qualificatif patriote de : « municipal de bienfaisance ». Il sera perçu jusqu'en 1943 !

De l'œuvre de Ledoux ne subsistent que les rotondes de la Villette et du parc Monceau, et les barrières du Trône et d'Enfer ; mais un richissime fermier général nous a lui aussi laissé un joli souvenir que l'on peut admirer dans la bibliothèque du Muséum national d'Histoire naturelle, au 38, de la rue Geoffroy-Saint-Hilaire (5e arr.). C'est un cabinet de curiosités dit « Des animaux desséchés ». Le fermier général Bonnier la Mosson, amateur d'art et collectionneur fort savant, possédait sept cabinets de ce type. Il mourut criblé de dettes, ce qui permit à Buffon de racheter ces boiseries en 1744 dans la vente après décès des biens du défunt collectionneur.

Elles furent installées dans le cabinet du jardin du roi. Dans ces armoires en bois de Hollande ornées de serpents et de « massacres » (c'est-à-dire de ramures de cervidés), était présentée une collection de coquillages, d'oiseaux, de reptiles et d'insectes. Démonté en 1935, ce cabinet de curiosités désormais classé monument historique a été restauré et installé définitivement dans la bibliothèque du Muséum en 1979.

La première tombe de Louis XVI

Le 21 janvier 1793 à dix heures du matin, Louis Capet gravit bravement les marches de l'échafaud érigé place de la Révolution, actuelle place de la Concorde, et fait une dernière déclaration couverte par le roulement des tambours. (Le roulement de tambour qui couvrait la voix du roi aurait été commandé par le révolutionnaire Louis de Beaufranchet d'Ayat, ancien page royal, bâtard de Louis XV et de la danseuse Morphise ; donc, demi-oncle de Louis XVI !)

Quelques minutes plus tard, le bourreau Samson brandit sa tête ensanglantée devant la foule.

Que devient alors la dépouille du monarque ? Il n'est évidemment pas de raison de manifester à son endroit quelque révérence que ce soit, ni bien sûr de la transférer en l'abbaye royale de Saint-Denis, lieu d'inhumation des rois de France depuis le roi Dagobert !

Elle va donc quitter les lieux la tête entre les jambes et être acheminée non loin de là, *via* la rue de la

Bonne-Morue (actuelle rue Boissy-d'Anglas, dans le 8e arrondissement) jusqu'au petit cimetière de la Madeleine où, selon les vœux de la Convention, elle doit être ensevelie le plus discrètement possible entre deux couches de chaux vive.

Il était bien illusoire de s'imaginer que nul ne dévoilerait le secret de ce petit cimetière situé rue d'Anjou où tant de morts avaient déjà précédé le roi, ou bien l'y rejoindraient bientôt : le défunt monarque va en effet cohabiter ici avec les 133 personnes mortes écrasées à l'occasion du feu d'artifice donné pour son mariage ; il y retrouve des fidèles, comme les gardes suisses tués aux Tuileries le 10 août 1792, et y sera suivi par de « proches amies » de son grand-père comme la comtesse Du Barry, des membres de sa famille tels son épouse Marie-Antoinette exécutée le 16 octobre 1793 et son cousin Philippe Égalité, de grandes figures féminines de la Révolution comme Charlotte Corday ou Olympe de Gouges, et même quelques Girondins au nombre de ses bourreaux.

Habitant une maison attenante au cimetière, un certain Desclozeaux, magistrat en retraite, avait assisté à l'inhumation. La Terreur passée, il achète le cimetière désormais désaffecté et balise la fosse par une charmille, des saules et des cyprès.

Passent la Révolution et l'Empire, vient la Restauration.

Naturellement, dès son retour au pouvoir, Louis XVIII diligente des recherches pour retrouver les restes de son frère et de sa belle-sœur Marie-Antoinette qui, nous l'avons dit, fut inhumée au même endroit après son exécution.

On procéda les 18 et 19 janvier 1815 à l'exhumation des « restes royaux ». Relatant cet épisode, Chateaubriand qui était présent ces jours-là, écrira dans les *Mémoires d'outre-tombe* : « Au milieu des ossements, je reconnus la tête de la reine par le sourire qu'elle me fit à Versailles. » Rappelons que l'infortunée reine avait été ensevelie vingt-deux ans auparavant !

En réalité, il ne restait plus grand-chose d'elle : en plus de ses ossements, on retrouva deux jarretières élastiques ainsi que des cheveux.

Les ossements retrouvés vont être soigneusement recueillis, remis dans des caisses scellées aux armes de France et le 21 janvier 1815, vingt-deux ans après leur exécution, Louis XVI et Marie-Antoinette quittent leur première tombe anonyme pour la nécropole royale de Saint-Denis.

Louis XVIII décore Desclozeaux du cordon de Saint-Michel, le pensionne, achète son terrain afin d'y édifier une chapelle expiatoire à ses propres frais et à ceux de la duchesse d'Angoulême, « Mme Royale », fille de Louis XVI et Marie-Antoinette, seule survivante de la famille. Cette chapelle peut être visitée : elle se trouve dans le square Louis XVI au 62, rue d'Anjou. Elle a été construite sur l'emplacement même de la fosse. L'autel dans la crypte marque l'endroit précis où furent retrouvés les corps des monarques.

Quant à Pierre Seveste, petit-fils d'un aide du fossoyeur de 1793 ayant coopéré à l'identification des lieux, il obtint le privilège d'ouvrir en banlieue des théâtres autorisés à jouer les pièces parisiennes. Une gratification qui nous semble aujourd'hui plus saugrenue que royale !

Un Chti...

Il y a 253 ans, le 6 mai 1758, naissait Robespierre. Sa mère morte, son père étant allé se faire pendre ailleurs, il fut élevé par son grand-père maternel Carrault, brasseur dans le faubourg Ronville à Arras.

Le jeune Maximilien découvre Paris pour la première fois à l'automne 1769. Entré en classe de 5ᵉ au lycée Louis-le-Grand, ayant bénéficié d'une bourse grâce à l'intercession du chanoine de la cathédrale d'Arras, il y restera interne près de douze ans, jusqu'à la fin de ses études de droit. C'est lui, sans doute désigné par ses professeurs comme excellent élève et boursier méritant, qui fut choisi pour faire un petit compliment à Louis XVI. Chaque été, il retrouvait sa chambrette du faubourg Ronville pour deux mois.

Reçu avocat le 2 août 1781, il retourne à Arras pour s'y fixer et ne reviendra à Paris qu'en 1789 comme élu du tiers état de l'Artois aux états généraux : la corporation la plus pauvre, celle des savetiers mineurs, lui ayant confié la rédaction de ses cahiers de doléances. Le 18 mai 1789, il intervient pour la première fois à l'Assemblée constituante.

Après avoir vécu au 8, rue de Saintonge dans le Marais, Robespierre emménage chez les Duplay au n° 398 de la rue Saint-Honoré, adresse proche à la fois du Club des jacobins où il retrouve Barnave, Mirabeau, Bailly, Brisseau ou Pétion, et du manège des Tuileries où l'Assemblée nationale s'installe en octobre 1789. L'« incorruptible » logera là trois ans, jusqu'à sa chute le 9 Thermidor (27 juillet 1794). Après sa mort, on vint arroser du sang d'un bœuf la façade de la maison qu'avait habitée le « tyran ».

Que reste-t-il de Robespierre dans Paris ? Pas même un nom de rue ! À la Libération, l'actuelle place du Marché-Saint-Honoré (1er arr.) fut bien baptisée « place Robespierre », mais la municipalité suivante reviendra sur cette décision en 1950. Plus récemment, en juin 2011, un conseiller du 12e arrondissement a saisi le maire de Paris d'un projet d'attribution d'une rue à Robespierre, proposition qui fut rejetée.

Sur les traces de Robespierre, on peut tout de même voir à la Conciergerie l'échelle par laquelle il accédait à sa chambre chez les Duplay, à l'hôtel de Rohan le bureau taché de son sang sur lequel on l'allongea la mâchoire fracassée par une balle, et à l'Assemblée nationale, un exemplaire de la Constitution de 1793 annoté de sa main.

Inhumés tout comme ceux de Louis XVI au cimetière de la Madeleine, petit cimetière dont tous les ossements furent acheminés dans les catacombes à la fin du XVIIIe siècle, les restes mortels de Robespierre achèvent probablement de se dissoudre avec ceux de 6 millions de Parisiens. Nulle épitaphe pour le tribun révolutionnaire, même s'il s'est tout de même trouvé un petit malin pour en imaginer une : « Toi qui passes ici, ne t'apitoie pas sur mon sort, car si j'étais vivant… tu serais mort ! »

Pupille de la Nation

La petite Suzanne n'a que 11 ans lorsqu'elle est présentée à la Convention le 25 janvier 1793. L'orpheline est solennellement adoptée par le peuple français : elle est la première « pupille de la Nation ».

Cinq jours plus tôt, alors qu'il dînait chez *Février*, un restaurant de l'ancien Palais-Royal, devenu « Palais-Égalité », son père, l'aristocrate conventionnel Louis-Michel Lepeletier de Saint-Fargeau a été poignardé par un certain Philippe-Nicolas de Pâris, ancien garde du corps de Louis XVI. Que lui reprochait-il ? D'avoir trahi sa caste en votant la mort du roi, alors qu'il était l'un des familiers de Louis XVI et de Marie-Antoinette. Et en effet, au cours de la séance du 20 janvier 1793 qui devait donner lieu à un vote sur la mort du roi, Lepeletier en cherchant à justifier sa voix en faveur de la condamnation à mort avait fini par entraîner à sa suite un certain nombre d'hésitants. Ce jour-là, au Palais-Royal, il paie de sa vie son influence et son vote. Transporté jusqu'au domicile de son frère cadet, place Vendôme (1er arr.), il meurt quelques heures plus tard, sans avoir prononcé le moindre mot. Il avait 33 ans.

Pour ses obsèques, le peintre David réalise une grandiose mise en scène : le corps de Lepeletier, à demi-nu, entouré de torches et de voiles funèbres, est exposé au beau milieu de la place Vendôme sur le piédestal d'une statue de Louis XIV récemment déboulonnée. La dépouille reste là quelques jours, puis, le 24 janvier, elle est convoyée au Panthéon.

Et la malheureuse orpheline dans tout ça ? D'abord honorée par son « adoption », elle ne tardera pas à la trouver bien encombrante. Lorsqu'elle demandera à être émancipée pour se marier, les députés se perdront en conjectures juridiques : le gouvernement peut-il exercer un droit sur une citoyenne adoptée au nom du peuple français ? Réponse : non ! Mais que de temps perdu.

À la Restauration, Suzanne tente d'effacer tout ce qui rappelle son passé révolutionnaire. En 1825, elle achète au prix fort aux héritiers de David réticents, le tableau représentant le cadavre de son père au-dessus duquel est suspendu un glaive. Sous le portrait, une inscription : « Je vote la mort du Tyran. » Alors qu'elle s'était engagée auprès des vendeurs à leur montrer la toile tous les six mois, elle l'enroule dans un cylindre de plomb qu'elle mure dans un recoin de son château de Saint-Fargeau dans l'Yonne.

Ce cylindre s'y trouve-t-il encore ? Avis aux amateurs de chasse au trésor ! Les autres se recueilleront sur les tombes de Michel et Suzanne et s'abandonneront à la joie toute simple de découvrir que c'est dans ce château qu'aurait été composé « Au clair de la Lune ».

Aux grands hommes la patrie inconstante

Mort à 42 ans, le 2 avril 1791, dans sa petite maison de la Chaussée-d'Antin (9e arr.), Mirabeau va être le premier de nos « grands hommes » à entrer au Panthéon.

L'annonce de sa mort plonge les Parisiens dans la consternation. La ville est en deuil, tous les spectacles sont annulés. Déjà, pendant l'agonie du tribun, on avait répandu de la paille sur le sol de la rue pour qu'aucun bruit ne vienne troubler son repos. Immédiatement après sa mort, le sculpteur Houdon réalise un masque mortuaire que possède aujourd'hui l'Assemblée nationale ; c'est un objet vraiment touchant car on y distingue les traits d'un homme jeune encore, mais au visage défiguré par la petite vérole.

L'Assemblée constituante, inspirée par ce grand mort, décide que l'église Sainte-Geneviève fermée au culte recevra désormais « les cendres des grands hommes de l'époque de la liberté française ».

De grandioses obsèques vont avoir lieu à Saint-Eustache : les canons tonnent, brisant des milliers de vitres. Un cortège de 300 000 personnes se forme ensuite au son des fanfares et du tam-tam que l'on entend jouer pour la première fois à Paris, à l'initiative du compositeur Gossec. Après plus de cinq heures de cérémonie, le cercueil de Mirabeau, porté par seize citoyens soldats, pénètre vers minuit dans le sanctuaire de la gloire humaine.

Dans les mois qui suivent, la pierre tombale du tribun fait l'objet d'un culte des Parisiens qui la couvrent de branches et d'aubépines. Mais, trois ans plus tard, patatras ! On découvre que Mirabeau a comploté pour faire évader Marie-Antoinette : l'ex-grand homme désormais indésirable est instantanément « dépanthéonisé ». On l'enterre secrètement dans l'ancien cimetière de Sainte-Catherine, dont l'emplacement est aujourd'hui occupé par le boulevard Saint-Marcel. Dans la bataille, la pierre tombale disparaît. Le dernier mot prononcé par Mirabeau y était gravé, un vœu murmuré dans un dernier souffle et aussitôt exaucé : « DORMIR ! »...

Crème pâtissière

Popularisés par Marie-Antoinette, les premiers croissants parisiens furent vendus dans une boulangerie de la rue Dauphine (6e arr.). Mais c'était là une spécialité viennoise ! Comme leur nom l'indique, les viennoiseries sont originaires de Vienne en Autriche ! Cette pâtisserie fut inventée pour fêter la fin du siège de Vienne par les Turcs. Selon la tradition, si elle a la forme d'un croissant, c'est parce que le drapeau ottoman était agrémenté du croissant rouge, emblème de l'islam ; et si c'est aux boulangers que fut accordé le privilège de modeler ce symbole en pâte, c'est que, devant se lever de très bonne heure, ils auraient donné l'alerte au moment même où l'armée ottomane s'apprêtait à déferler par surprise sur la ville.

C'est donc au siège de Vienne par les Turcs et à Marie-Antoinette que les Parisiens doivent le rituel du « café croissant » matinal.

La galette des rois que nous connaissons aujourd'hui naquit, elle, à Paris : un maréchal de camp du roi Louis XIII appartenant à une très ancienne famille romaine eut l'idée d'embaumer les peaux à partir desquelles étaient confectionnés ses gants d'un parfum à base d'amandes amères. Les pâtissiers parisiens s'inspirèrent de cette idée pour garnir leurs galettes des rois et donnèrent à l'appareil à base d'amandes, d'œufs et de sucre le nom du maréchal en question : il se nommait Pompéo Frangipani !

Dans *Les Rues du vieux Paris* (1881), Victor Fournel relate cette anecdote croustillante liée à l'Épiphanie :

« Au XVIIIe, l'usage était de tirer les rois avant le repas. Le cardinal de Fleury avait 90 ans et était très frappé à l'idée de sa mort prochaine. Pour le guérir de ses sombres pensées, son valet de chambre Barjac fit prier à dîner chez son Éminence pour le jour des Rois, les personnes suivantes : le comte de Beaupré, l'abbé d'Enneville, le marquis de Nogaret, la princesse de Montbarey, la marquise de Flavacourt, le comte de Sainte-Mesme, la marquise de Coudray et la marquise d'Anglure.

Au moment de tirer les rois, le cardinal de Fleury se lamente : "C'est au plus jeune que revient ce droit ; avec mes 90 ans, je ne puis prétendre qu'aux honneurs du patriarcat. – Mais pardonnez, monseigneur, dit sa voisine de droite la princesse de Montbarey, je suis née le 15 janvier 1651 et j'ai par conséquent deux ans de plus que vous, Éminence !" Les autres déclinent alors leur âge : 92, 95, 96 et même 97 ans pour la comtesse de Combreux ! "Comment ! s'exclama l'Éminence au comble de la stupéfaction, c'est donc moi le plus jeune !" Il fut si enchanté par la facétie de son valet de chambre qu'il s'en souvint dans son testament ! »

Après les évocations du croissant autrichien et de la frangipane italienne, évoquons maintenant le saint-honoré : couronne de choux caramélisés au cœur de chantilly ou de « chiboust », il fut, quant à lui, l'innovation gourmande purement parisienne de M. Chiboust qui tenait boutique rue… Saint-Honoré !

Autre grand nom de la gastronomie française : Marie-Antoine Carême, dit Antonin Carême, un vrai Parisien, rejeton d'une famille de quatorze enfants, abandonné par son père à l'une des barrières de Paris à l'âge de 8 ans. Il allait devenir le génie des pièces montées et être reconnu comme l'un des tout premiers cuisiniers à avoir acquis une renommée internationale, puisqu'il fut successivement chef de bouche de Napoléon Ier, du tsar de Russie et du roi d'Angleterre.

À la demande de Talleyrand, rêvant d'un biscuit effilé à tremper dans son madère, Carême eut l'idée d'allonger les biscuits cuiller qui devinrent ainsi les boudoirs ou biscuits à champagne. Au terme d'une carrière qui le conduisit dans l'Europe entière, il prit sa retraite à Paris, rue de la Chaussée-d'Antin. Sur son lit de mort, il eut ces dernières paroles grandioses, résumant toute son existence : « Il faut secouer la casserole ! »

Un autre pâtissier, dont la boutique se trouvait sur le parcours d'une course cycliste, eut quant à lui l'idée de mouler ses éclairs en forme de roue de vélo. Voilà comment, en 1891, naquit le paris-brest. Rappelons également au passage que le premier auteur de langue française à mentionner le mot « profiterole » fut Rabelais, qui désignait ainsi les petites gratifications que recevaient les domestiques. Le terme entre dans les pâtisseries au XVIe siècle : il désigne alors les gâteaux que vendaient pour leur propre compte les garçons pâtissiers.

Honneur enfin soit rendu au grand Eugène François dont le nom ne dit plus rien à personne ! Dans sa petite épicerie de la rue du Renard (4e arr.), il mit au point en 1854 une spécialité consommée depuis, chaque jour, par des centaines de millions d'individus de par le monde : le morceau de sucre rectangulaire !

Facteur climat

La première dépêche télégraphique historique parvint à Paris le 1er septembre 1794. C'était à la Convention : Carnot, monté à la tribune en pleine séance, annonça la reprise de Condé aux Autrichiens le matin même. Un tonnerre d'applaudissements accueillit cette nouvelle qui, tout en marquant la première grande victoire de la nation française, inaugurait brillamment l'invention de Claude Chappe (1763-1805).

Placé sur des hauteurs – tours de Saint-Sulpice, Montmartre, mont Valérien – son appareil se composait de trois branches mues séparément, capables de former près de 9 000 mots et de transmettre un message de Lyon à Paris en huit minutes par temps clair.

Les derniers souvenirs de ces étranges sémaphores dans la capitale sont la station de métro « Télégraphe », ainsi qu'une grosse pièce de bois calcinée conservée au musée des Arts et Métiers ! On peut aussi en voir une reproduction au musée de la Poste près de la gare Montparnasse, ainsi qu'au Père-Lachaise sur la tombe du malheureux inventeur. Malheureux, car n'ayant pas supporté les réserves émises par Napoléon sur les aléas climatiques auxquels était soumis son télégraphe, Chappe mit fin à ses jours en se jetant dans un puits ! Pourtant, au moment même où commençait l'épisode des Cent-Jours, après le débarquement de Napoléon à Golfe-Juan le 1er mars 1815, si l'empereur déchu ne rencontra aucune opposition avant Laffrey en Isère, c'est parce que Louis XVIII ne fut informé que le 5 mars d'un événement qui s'était produit quatre jours plus tôt ! Pendant tout ce temps, la dépêche avait été interrompue... par le brouillard !

Produits dérivés...

L'entrepreneur parisien Pierre-François Palloy (1775-1835) fut sans doute le premier citoyen français enrichi par la Révolution.

Il habitait en face de l'actuel Institut du monde arabe, rue des Fossés-Saint-Bernard (5e arr.). Au nom de hauts faits plus ou moins avérés le 14 juillet 1789, il obtint le chantier de démolition de la Bastille. Dès le 15 juillet, sept cents hommes armés de pioches commençaient donc sous ses ordres à détruire la forteresse. Bientôt, le champ de ruines deviendra un lieu de promenade très couru des Parisiens : Latude, le prisonnier le plus célèbre de la forteresse, moins d'ailleurs pour son crime que pour ses multiples évasions et ses trente-cinq années passées entre les prisons de Vincennes, de Charenton et de la Bastille, en devint le guide moyennant quelque rétribution. (L'échelle de corde au moyen de laquelle il s'évada de la Bastille est exposée au musée Carnavalet.)

Mais pour en revenir à la forteresse elle-même, ses pierres furent notamment utilisées pour terminer le pont de la Concorde ou pour construire des immeubles dans les environs (le n° 21 du boulevard Bonne-Nouvelle serait l'un d'entre eux, de même que le théâtre du Marais construit par Beaumarchais au 11, rue de Sévigné). Palloy conserva des pierres pour construire les 83 reproductions de l'ancienne prison, une par département, censées inspirer au peuple l'horreur du despotisme. Aux obsèques de Voltaire, la maquette n° 83 destinée à Paris défila en tête du cortège. Palloy et ses ouvriers suivaient, portant boulets et cuirasses trouvés lors de la prise de la forteresse.

L'une de ces maquettes est exposée au musée Carnavalet ainsi que des clefs, menottes et médailles commémoratives fabriquées avec le métal des chaînes. Là où de nos jours on commercialise des morceaux de charbon trouvés dans les soutes du *Titanic*, des fragments du mur de Berlin ou des micro-parcelles du gazon du stade de France sur lequel l'équipe de France gagna la Coupe du monde en 1998, Palloy, lui, vendit tout ce qui de près ou de loin touchait à la fameuse prison.

Au milieu de tous ces trésors de guerre, le musée Carnavalet possède également une boîte de dominos en pierre de la Bastille offerte au dauphin par des sans-culottes le 1er janvier 1790. Le couvercle porte cette dédicace :

De ces affreux cachots la terreur des Français
Vous voyez les débris transformés en hochet.
Puissent-ils, en servant aux jeux de votre enfance
Du peuple vous montrer l'amour et la puissance.

L'éléphant de la Bastille

Pendant que Palloy s'affairait sur ses maquettes, les révolutionnaires avaient fait édifier une fontaine dite de la « Régénération » sur les ruines de la prison. Une sculpture monumentale assez kitsch, représentant la déesse Isis. L'eau jaillissait tel du lait de ses mamelles.

Ayant probablement épuisé les charmes de l'Égypte dont il était revenu en catimini, l'empereur Napoléon n'était pas emballé par cette Isis nourricière. Il va donc commander aux architectes Cellerier, puis Alavoine, une fontaine figurant un éléphant gigantesque surmonté d'une tour qui sera coulée avec le bronze des canons pris aux Espagnols.

Depuis Hannibal, il semblerait que l'éléphant inspire les grands de ce monde : en d'autres temps, l'ingénieur Ribart de Chamoust n'avait-il pas proposé à Louis XV de faire surmonter l'Arc de Triomphe d'un éléphant gigantesque sur lequel trônerait une statue du roi ?

Dans un premier temps, une maquette grandeur nature est édifiée : c'est une structure en fer recouverte de plâtre ; l'éléphant mesure 15 mètres de haut (24 mètres avec la tour) et 16 mètres de long. Colossal ! À tel point d'ailleurs, que jamais aucun réalisateur de cinéma ou de télévision n'a relevé le challenge du pachyderme décrit par Victor Hugo : « C'était un éléphant de quarante pieds de haut, construit en charpente et en maçonnerie, portant sur son dos sa tour qui ressemblait à une maison, jadis peint en vert par un badigeonneur quelconque, maintenant peint en noir par le ciel, la pluie et le temps… […] C'était sombre, énigmatique et immense. C'était on ne sait quel fantôme puissant, visible et debout à côté du spectre invisible de la Bastille. »

Auteure de l'une des dernières « moutures télévisées » des *Misérables*, la réalisatrice Josée Dayan, interrogée sur le sujet, a regretté elle-même amèrement de ne pas avoir eu le budget nécessaire pour reproduire grandeur nature le fameux « éléphant de la Bastille » où le personnage de Gavroche aime à se réfugier.

Dernier projet pour la fontaine de l'Éléphant de la Bastille, 1809-1810, par Jean-Antoine Alavoine.

Quoi qu'il en soit, cette maquette d'éléphant restera en place jusqu'en 1847 ; vermoulue et servant de repaire à des milliers de rats, elle est alors vendue pour une poignée de francs.

Mais n'est-il pas amusant de penser que le pachyderme orna pendant trente-cinq ans une place dont bien des Parisiens pensent qu'elle fut occupée par la colonne actuelle immédiatement après la prison ?

Or, la colonne de la Bastille fut édifiée non en souvenir de la prise de la Bastille, mais en souvenir des « Trois Glorieuses », les journées révolutionnaires des 27, 28 et 29 juillet 1830 qui aboutirent à la destitution de Charles X et à l'avènement de Louis-Philippe.

Et il était temps ! Au moment où l'on envisagea d'ériger la colonne, Alavoine en était à son septième projet d'éléphant ! Les travaux ont duré dix ans, la première pierre ayant été posée par Louis-Philippe lui-même en 1831.

Le fût de la colonne est creux, et s'il semble divisé en trois parties, c'est pour symboliser les trois journées de révolte ; les noms des victimes y ont été burinés.

Quant au génie qui surmonte la colonne, il symbolise d'après son propre auteur Dumont « la Liberté qui s'envole en brisant des fers et en semant la lumière ».

Performance difficilement réalisable par un éléphant !

Pièce à conviction

Assassiné par Charlotte Corday le 13 juillet 1793, alors qu'il travaillait tranquillement dans sa baignoire, Marat fut un temps inhumé dans le couvent des Cordeliers, non loin de son domicile du Quartier latin. Détruit en 1876 au moment du percement du boulevard Saint-Germain, l'hôtel de Cahors, dont il occupait le premier étage, se trouverait aujourd'hui carrefour de l'Odéon, côté Faculté de médecine. Son journal, *L'Ami du Peuple*, était quant à lui imprimé près du café *Procope*.

Quatorze mois après sa mort, Marat devait suivre Mirabeau et Lepeletier de Saint-Fargeau au Panthéon : il fut le troisième grand homme à y entrer, croisant sur son passage Mirabeau que l'on en sortait *manu militari* et qui fut aussi le *recordman* de vitesse d'entrée et sortie du Panthéon puisqu'il n'y demeura que quelques mois.

À côté de la supposée mâchoire de Marat et de la poignée de porte de sa salle de bains, une pièce à conviction essentielle de l'affaire Corday-Marat est parvenue jusqu'à nous : la baignoire !

Aussi incroyable que cela puisse paraître, l'authentique baignoire sabot où fut assassiné le tribun révolutionnaire se trouve au musée Grévin, boulevard Montmartre (9e arr.), entourée des mannequins de cire figurant les deux protagonistes de cette célèbre affaire.

Comment est-elle arrivée là ? L'académicien G. Lenotre, spécialiste de la petite histoire, a retracé minutieusement ses différentes pérégrinations.

Dans les jours qui suivent l'assassinat de Marat, la baignoire est conservée pour être utilisée au cours de la grandiose cérémonie organisée par le peintre David, grand « mamamouchi » metteur en scène des solennités révolutionnaires. Il prévoit de faire porter la baignoire en triomphe devant le cortège funèbre, de même que la chemise ensanglantée du tribun. Seulement voilà, toujours selon G. Lenotre, la baignoire de Marat était en location. Son propriétaire a dû vouloir la récupérer.

On la retrouve quelques années plus tard, en 1805, chez un marchand de ferraille d'Argenteuil. Son acquéreur la lègue à sa fille, Mlle Capriol de Saint-Hilaire, jeune demoiselle royaliste et catholique qui mourra vieille fille à l'âge de 78 ans en 1862. À sa mort, elle laisse la baignoire au curé de Sarzeau, petit village du Morbihan.

Le bon curé pensait sans doute sa fortune faite ; il se voyait déjà, allant de ville en ville, proposer « sa » baignoire moyennant quelques pièces de monnaie. Mais en réalité, les acheteurs ne se bousculèrent pas au portillon et la baignoire se détériorait lentement dans le hangar où elle était entreposée dans l'attente de susciter quelque intérêt.

Le curé de Sarzeau finit donc par accepter la seule offre qui lui fut faite : celle du musée Grévin. Cette tractation historique fit d'ailleurs grand bruit puisque le *Figaro* du 15 juillet 1885 en relate tous les détails.

À l'époque, ce trophée sanglant fut acheté 3 000 francs, ce qui représenterait aujourd'hui près de 10 000 euros. Alors, souvenir historique peut-être, mais cela fait tout de même cher de la baignoire !

Hue dada !

Les premiers chevaux de bois parisiens furent installés en juin 1777 sur les Champs-Élysées. Par la suite, les guerres du Premier Empire les mirent à la mode : pendant que les pères chevauchaient à travers l'Europe orientale, leurs enfants caracolaient sur de placides destriers, munis de lances de bois pour enfiler des anneaux de fer.

Cette attraction n'existe plus de nos jours que dans quelques manèges parisiens. Elle est l'héritière du « jeu de bague » pratiqué dans les tournois. On y joua beaucoup dans Paris, jusqu'au jour où, le 30 juin 1559, au cours d'une joute se tenant rue Saint-Antoine, devant l'hôtel royal des Tournelles, le jeune comte Gabriel de Montgomery blessa mortellement Henri II ; celui-ci devait mourir dix jours plus tard (10 juillet 1559) dans de terribles souffrances. Aux premiers jours de son veuvage, Catherine de Médicis fit raser l'hôtel des Tournelles et proscrivit les tournois.

À la fin du XIXe siècle, on comptait en France près de 10 000 manèges de chevaux de bois, soit plus de 400 000 équidés ! Les plus petits manèges comportaient 32 coursiers, les plus grands jusqu'à 60. Ces manèges étaient assez onéreux, mais d'un faible coût d'entretien : une couche de peinture annuelle qu'on leur administrait chaque hiver et quelques menus frais de rafistolage de la sellerie.

Si 90 % des manèges de l'époque venaient directement d'Allemagne, en particulier de Saxe et de Bavière, Paris eut néanmoins sa propre fabrique : celle d'un nommé Limonaire, spécialisé dans la monture de luxe !

Ultime et savoureuse précision : si les petits Français tournent dans le sens inverse des aiguilles d'une montre pour pouvoir tenir le bâton de la main droite, les bambins anglais, eux, font l'inverse, car leurs manèges s'en tiennent à la règle équestre exigeant que l'on monte en selle par la gauche !

À toute vapeur

Au cours de notre histoire, la Seine fut le théâtre de toutes sortes d'expérimentations. Prenez le gilet de sauvetage. Une invention récente, serait-on tenté de dire ? Eh bien pas du tout : le gilet de sauvetage, que l'on appelait d'ailleurs plutôt à l'époque « gilet de natation », serait une invention de l'abbé Jean-Baptiste de la Chapelle en 1765. Né en 1710, lui-même était un génial touche-à-tout : auteur d'articles consacrés aux mathématiques dans l'*Encyclopédie*, traducteur d'ouvrages de médecine, auteur d'un traité sur la ventriloquie et sur l'art de communiquer ses idées. Il va se livrer à un premier essai public de son invention : vêtu de son gilet de liège, il se jette dans la Seine, puis se livre à toutes sortes d'occupations : il mange, boit, lit et prise, tout en demeurant à la surface de l'eau. L'expérience est évidemment très concluante, mais lorsqu'il voudra la reproduire en présence du roi Louis XV ce sera une catastrophe, car le courant va l'entraîner si vite que le roi n'aura même pas le temps d'apercevoir l'infortuné inventeur entraîné tel un bouchon à la surface de l'eau !

Une cinquantaine d'années plus tard, un autre inventeur se présente pour tenter une autre expérience : nous sommes alors le 9 août 1803 sur l'actuelle avenue de New York (16e arr.). Le long du quai, entre la place de la Conférence et la barrière des Bonshommes, l'ingénieur américain Robert Fulton procède au premier essai de navigation à vapeur sur la Seine. Le port de Paris est alors le premier de France et chaque jour, coches d'eau, galiotes tirées par des chevaux et batelets à voile transportent passagers et marchandises sur la Seine. Le trafic fluvial est dense, les berges du fleuve sont envahies par les pontons d'embarquement. L'invention semble donc promise à un bel avenir.

Fulton n'en est pas à son coup d'essai. Trois ans auparavant, il a fait évoluer sur et sous le fleuve son *Nautilus*. Il s'agissait du premier sous-marin à hélice dont le musée de la Marine présenta il y a quelques années une reconstitution grandeur nature : autant évoluer sous l'eau à bord d'un fer à repasser !

Le « bateau poisson » n'a pas séduit ? Qu'à cela ne tienne ! Fulton se tourne vers la navigation à vapeur. Son « chariot d'eau mu par le feu » est une embarcation armée de deux roues posées sur un essieu, derrière lesquelles se dresse une espèce de grand poêle à tuyau.

L'expérience n'a pas attiré beaucoup de spectateurs, mais quelques savants ont pris place à bord au nombre desquels Carnot, Volney et Prony. Le bateau remonte la Seine à la vitesse considérable de 5,5 kilomètres à l'heure. Mais Bonaparte, alors Premier consul, n'est pas convaincu. Il tient Fulton pour un aventurier et un imposteur.

Il faudra attendre 1829 pour que la marine française possède son premier navire à vapeur véritablement opérationnel. Ce sera *Le Sphinx*, un bateau dont les curieux pourront aller voir la maquette au musée de la Marine, place du Trocadéro. Non seulement c'est *Le Sphinx* qui rapportera en France la nouvelle de la prise d'Alger du

5 juillet 1830, mais c'est aussi lui qui trois ans plus tard remorquera à travers la Méditerranée, de Louxor à Paris *via* Toulon, l'obélisque de la place de la Concorde.

Longue vue

Inventé en 1787 par le peintre anglais Robert Barker, le premier panorama (immense rotonde dont les murs intérieurs étaient recouverts d'une fresque) représentait la ville de Londres. En France, c'est Fulton (dont nous venons de parler), citoyen américain et père du bateau à vapeur, qui obtint en 1799 le brevet d'exploitation de ces « tableaux circulaires et sans borne ». Il présenta d'abord aux Parisiens leur capitale, puis Toulon, Amsterdam et Naples. Mais le premier vrai grand succès fut *Le Départ pour Saint-Malo* (1809). En quelques jours, tout-Paris fredonnait le refrain : « Bon voyage M. Dumollet ». Ce triomphe déclencha l'éclosion de nombreux passages couverts et les panoramas furent bientôt suivis de néoramas, carporamas, cosmoramas, épomoramas, diaphanoramas, pyroramas ou encore dioramas. (Dans le cas du diorama, il s'agissait, écrit le prospectus publicitaire, d'une « exposition de tableaux transparents sur verre et mécaniques, à musique d'un effet extraordinaire ! »)

Réalisés par des artistes de renom comme Philippoteaux et Washington, ou Neuville et Detaille, certains « ramas », selon l'expression de Balzac, étaient si rentables qu'ils furent bientôt cotés en Bourse. Leur succès dépendait avant tout de la renommée du peintre : si celle-ci était grande, un panorama pouvait avoir entre 300 000 et 500 000 visiteurs par an.

Après avoir fait le tour du monde des grandes villes, les panoramas européens des années 1880 deviennent monothématiques : le public ne veut plus que des scènes de batailles ; aussi, tandis qu'à Moscou et à Saint-Pétersbourg l'on propose des panoramas du siège de la Piewna et de la prise de Kars, dans le reste de l'Europe, il n'y en a plus que pour la guerre de 1870 ! À Paris, le panorama des Champs-Élysées présente *La Défense de Paris contre les Prussiens vue du fort d'Issy*, et celui de la rue de Berri *La Bataille de Champigny*. À Londres est proposé *Le Siège de Paris*, et à New York la *Sortie de Montretout*. Quant à Berlin, on y présente la *Bataille de Saint-Privat*, victoire prussienne et déroute française meurtrière dont le nom donna naissance à l'expression : « tomber comme à... Gravelotte ! »

In vino veritas

Située en bas de la rue Mouffetard (5e arr.), Saint-Médard fut, sous la Révolution, la première église parisienne mise à la disposition du clergé constitutionnel, le 5 avril 1795. Notre-Dame qui n'avait pas eu cette chance aurait dû être détruite purement et simplement.

Dès octobre 1793, la cathédrale fut pillée, son trésor fondu, ses cloches brisées. Toute la statuaire du portail disparut. Les 28 rois de Juda, ancêtres du Christ que les sans-culottes prenaient pour les rois de France, furent tirés d'en bas par une corde et se fracassèrent sur le sol, enfonçant le pavé dans leur chute. Ils reposèrent là pendant trois ans, avant d'être vendus aux enchères en juin 1796 comme matériaux de construction.

Notre-Dame fut mise en adjudication pour être démolie au prix de 450 000 francs – quelques brouettes d'assignats – et achetée par le ci-devant Simon. Fort heureusement, le 9 Thermidor, en entraînant la chute de Robespierre, mit un terme aux tractations en cours, et la cathédrale fut « providentiellement » transformée en entrepôt pour barriques de vin !

Un siècle plus tard, sous la Commune, Notre-Dame faillit bien, une fois encore, être détruite. Les communards empilèrent stalles, chaises, bancs et barrières au milieu de la nef et les arrosèrent de pétrole : une flammèche fut allumée, que les internes de l'Hôtel-Dieu purent éteindre *in extremis* avant que la cathédrale parisienne ne s'embrase, comme les Tuileries ou l'Hôtel de Ville.

En 1977, par le plus grand des hasards, on a retrouvé à l'occasion de travaux les fameuses statues des rois de Juda sous forme de 364 morceaux soigneusement ensevelis dans la cour d'une banque, rue de la Chaussée-d'Antin. Depuis, elles sont exposées au musée de Cluny, tandis que leurs copies du XIXe siècle contemplent à leur place le parvis de Notre-Dame.

Aux grands « mots »

Créé par le Directoire pour remplacer l'Académie royale, l'Institut de France se réunit pour la première fois en séance plénière, au Louvre, le 20 décembre 1795. Mais Napoléon veut faire du Louvre un musée, il fait donc traverser la Seine aux académiciens en 1805 : l'Institut s'installe quai de Conti, dans l'ancien Collège des Quatre-Nations fondé par Mazarin. Le pont des Arts, première passerelle métallique de la capitale (1802), permettra de relier le Louvre à la Coupole.

C'est aussi sous l'Empire, en 1803, qu'est née la tradition de l'habit vert, de l'épée (dont, cela va de soi, ont toujours été dispensés les ecclésiastiques !) et du double discours de réception : le nouvel académicien vante les mérites de celui auquel il succède, laissant un autre orateur vanter à son tour les siens. Chateaubriand fit l'éloge d'André Chénier en même temps que celui de la liberté, ce qui ne plut pas du tout à Napoléon. Quant à Victor Hugo, il parvint à faire à la fois l'apologie de l'Empereur assortie d'un éloge au vitriol de son prédécesseur, l'écrivain et auteur dramatique Népomucène Lemercier. De son vivant, Lemercier s'était constamment opposé à l'élection de Victor Hugo sous la coupole. Lui succédant au même fauteuil, le poète était maintenant mis en demeure de faire l'éloge de ce prédécesseur peu estimé, tout en évitant au maximum de dire du bien de son œuvre. Un morceau de bravoure à lire absolument sur le site Internet de l'Académie française.

En principe, le discours d'un nouvel académicien ne doit comporter que des louanges, pourtant, certains, tout comme Hugo que nous venons de citer, parviennent subtilement à ruser avec cette règle de bon aloi : on raconte que Paul Valery succédant à Anatole France qu'il détestait ne prononça pas une seule fois son nom de tout son discours.

Un seul académicien refusera de respecter la tradition du discours : Clemenceau, qui considérait qu'il n'avait pas de temps à perdre avec de telles simagrées ! Quant à l'écrivain Alain Robe-Grillet, ayant refusé de porter l'habit vert, il ne fut jamais reçu à l'Académie où il venait pourtant d'être élu en mars 2004 en lieu et place de Maurice Rheims, et n'eut donc jamais à prononcer de discours !

Depuis le duc de Coislin, entré dans la petite histoire de l'Académie pour n'avoir parlé que quelques minutes – il est vrai qu'il n'avait pas 17 ans et était pour ainsi dire analphabète –, la tendance fut plutôt de réfréner la volubilité des immortels en limitant à une heure maximum la durée de leur *pensum* !

Signalons enfin que l'Académie française s'est hélas privée de quelques grands noms dont le discours de réception aurait pourtant certainement fait ses délices. Nous pensons ici en particulier à Sacha Guitry. Apprenant qu'un auteur pour lequel il n'avait aucune estime venait d'être reçu à l'Académie française, il eut cette phrase restée fameuse : « Maintenant, ses écrits vont être d'un ennui immortel ! »

Buffet froid

Le premier fonctionnaire de la préfecture de Police de Paris à tomber victime du devoir était un dénommé Buffet, tué le 9 mars 1804 au terme d'une course-poursuite haletante entre la place du Panthéon et la rue de Buci. Buffet et ses collègues pourchassaient l'ennemi public numéro un du moment : Georges Cadoudal, héros des guerres de Vendée, lieutenant général commandant en chef des armées catholique et royale, luttant pour restaurer la monarchie. Soupçonné à tort d'avoir trempé dans l'attentat de la rue Saint-Nicaise qui visait le Premier consul Bonaparte (24 décembre 1800), Cadoudal était devenu depuis des mois l'homme à abattre.

Dès lors, son signalement circulait partout.

Ce jour-là, dans le feu de l'action, le fugitif tire sur un nommé Cailloule, qu'il blesse. Buffet se jette à la tête du cheval pour le saisir par la bride et l'arrêter… c'est alors qu'il prend une balle dans la tête.

L'inspecteur Buffet laisse une veuve et trois enfants. Aux juges qui lui reprocheront d'avoir tué un père de famille, Cadoudal rétorquera : « Vous n'aviez qu'à me faire arrêter par des célibataires ! »

On connaît la suite : Cadoudal est exécuté le 25 juin 1804, ainsi qu'onze de ses compagnons. Contrairement à la tradition qui voulait que les chefs de bande soient exécutés en dernier, Cadoudal demanda à être exécuté le premier afin qu'aucun de ses compagnons ne pense qu'il accepterait pour lui-même une grâce déshonorante.

Si le nom de Cadoudal figure en bonne place dans les manuels d'histoire, celui de l'infortuné policier apparaît quant à lui dans nos livres de français, puisque c'est à lui que l'on doit l'expression... « se prendre une balle dans le buffet » !

Le numéro que vous avez demandé...

Il y a quelques années, un bicentenaire pittoresque est passé totalement inaperçu : celui de la première loi généralisant la numérotation des rues parisiennes (4 février 1805), une loi due à Nicolas Frochot, premier préfet de la Seine. Il classa les rues en parallèles (plaques rouges sur fond jaune) et perpendiculaires à la Seine (plaques noires sur fond jaune, dont on peut encore de nos jours voir les tout derniers exemplaires sur la façade des hôtels de la place de la Concorde).

Longtemps, nos rues n'eurent ni numéros ni noms. Vers 1280, le poète Guillot publia un *Dit des rues* qui répertoriait trois cents chaussées, chemins, sentes ou sentiers pour toute la ville de Paris. Notre capitale n'était alors qu'une grosse bourgade et comme il n'y avait pas de plan, il fallait parfois marcher fort longtemps avant de parvenir à bon port.

Jusqu'à la Révolution, c'étaient donc les enseignes qui tenaient lieu de points de repères. Chaque boutique avait la sienne, le plus souvent une plaque de tôle peinte illustrant son activité ; mais aussi, pour l'arracheur de dents, une molaire de la taille d'un fauteuil, pour le marchand de vin, le cerceau de fer servant à fretter les barriques ; des bouchons de paille signalaient les hôtels (de là, vient le terme « bouchon » pour désigner un restaurant), un milan (ou écouffe, l'oiseau de proie) indiquait l'officine d'un prêteur sur gages. Il nous en est d'ailleurs resté la rue des Écouffes (4e arr.).

C'était alors à qui aurait l'enseigne la plus grande, la plus voyante, au point que cela devint dangereux pour les cavaliers. Si bien que leur usage en vint à être interdit par le chevalier du guet. Avec leur disparition, c'en était fini de la poésie des adresses : « Monsieur Untel, mercier au fil d'or, 594, rue Payenne, au droit de la rue du Parc-Royal, proche le grand mur des filles bleues » (J. Hillairet, *Dictionnaire historique des rues de Paris*). Un peu longuet tout cela, mais enfin quel charme !

En 1728, la loi impose aux Parisiens de clouer sur la première et la dernière maison de chaque voie une plaque de tôle portant, peint en noir sur fond jaune, le nom de la rue. Les citadins d'alors mettront autant de bonne volonté à estampiller leur rue que n'en mettent de nos jours les contribuables à s'acquitter de leur redevance télé. Méfiants, ils pensaient que ce numérotage était un ingénieux moyen de les répertorier en vue de l'adoption de nouveaux impôts.

En 1775, on invite les Parisiens à peindre des chiffres au-dessus de leur porte. Mais ces numéros faisaient le tour d'une même rue et entraient dans toutes les cours, de sorte que l'actuel n° 2 de la rue Garancière (6e arr.), pour ne citer que lui, était alors le 1 096 ! On peut encore voir ce nombre gravé sur la porte d'une chapelle de l'église Saint-Sulpice.

Sous la Révolution, le système se complexifia encore : Paris fut quadrillé en divisions administratives, et ce, de façon si tatillonne, qu'une même rue conservait son nom d'une division à la suivante tandis que les numéros repartaient de zéro. Il y avait donc plusieurs fois le même numéro d'une même rue à différents endroits. De quoi refuser définitivement les dîners en ville !

La capitale, longtemps fâchée avec les chiffres, ne le fut en tout cas jamais avec la poésie : nulle part on ne pratiqua mieux l'art de baptiser les rues. S'il existe du côté des Halles un « passage Antoine-Carême », c'est que les Parisiens ont souhaité honorer en lui, non le cuisinier de Napoléon, du tsar et du roi d'Angleterre, mais l'immortel inventeur de la pâte feuilletée, auquel ils doivent, ainsi qu'à Marie-Antoinette, leur « café croissant » quotidien !

Le paradeur de l'Observatoire

Érigée en 1853 avenue de l'Observatoire, devant *La Closerie des Lilas,* la statue par Rude du maréchal Ney, duc d'Elchingen, prince de la Moskova, ne se trouve pas à l'endroit précis où fut fusillé le maréchal d'Empire, mais exactement en face, de l'autre côté du boulevard Saint-Michel. Ney fut exécuté à hauteur de l'actuel n° 43. La statue y fut donc dressée, mais elle en sera délogée plus d'un siècle plus tard par les travaux du RER.

Le maréchal Ney fut donc fusillé ici le 7 décembre 1815 au matin, au terme d'un procès expéditif au cours duquel l'accusateur public était un nommé Bellart, alors conseiller municipal de Paris et ennemi juré de Napoléon ayant appelé de ses vœux le retour des Bourbons. Avec lui comme procureur, c'en était fait de Ney. Les bonapartistes daubaient à son sujet : « L'éloquence est un bel art, mais Bellart n'est pas l'éloquence. »

Pour sauver l'un des plus brillants maréchaux de Napoléon qui avait suivi son Empereur sur tous les champs de bataille d'Europe et que l'on accusait de trahison, l'avocat de Ney alla jusqu'à arguer du fait que Sarrelouis, ville natale de Ney, n'étant alors plus française, son client n'était pas français et ne pouvait donc être soumis à une juridiction française. Indigné, Ney protesta et s'exclama : « Je suis français, je mourrai français ! »

Condamné à mort sans surprise, Ney aurait dû être fusillé au lieu habituel des exécutions, c'est-à-dire dans la plaine de Grenelle, mais cette fois-ci, sans que l'on sache au juste pourquoi, on choisit un terrain situé entre l'Observatoire et la grille du Luxembourg.

Pour épargner à un Français de porter par la suite la responsabilité d'avoir dirigé le peloton d'exécution, on en confia la charge à un Piémontais. Une fois sur place, le maréchal alla se placer tout seul devant le poteau d'exécution ; il refusa de se mettre à genoux et de se laisser bander les yeux. Ôtant son chapeau et portant sa main droite à son cœur, il dit : « Mes camarades, hâtez-vous et tirez là », puis il tomba foudroyé. Il avait 46 ans.

La dépouille du maréchal resta là, au sol, un bon quart d'heure, laps de temps pendant lequel la foule vint se procurer des reliques : l'un trempait son mouchoir dans le sang de la victime, l'autre ramassait une pierre sur laquelle le sang avait giclé.

Mais il se trouva ce jour-là quelques lâches qui osèrent montrer que pour eux cette mort était une victoire : au moment même de l'exécution, un général russe paradait ; un autre, un Anglais semble-t-il, éperonna son cheval, le fit sauter par-dessus le cadavre et disparut.

Le tsar Alexandre Ier fit comparaître le général russe qui allait entrer dans l'histoire affublé du qualificatif infamant de « paradeur de l'Observatoire ».

En fait de général russe, c'était un baron d'origine hollandaise qui s'était mis au service de la Russie. « Le tsar lui déclara qu'il pouvait remercier Dieu de n'être pas né son sujet, que sans cela, il l'aurait fait soldat à l'instant même et qu'en conséquence de sa qualité d'étranger, il se bornait à le chasser de son service » (Lucas-Dubreton, *Le Maréchal Ney*).

Quelqu'un de bien cet Alexandre ! Déjà au lendemain de Waterloo, quand les Prussiens déboulaient dans Paris et alors que Blücher réclamait que l'on fît sauter le pont d'Iéna (que Louis XVIII sauva en le faisant baptiser « pont des Invalides »), on proposa au tsar Alexandre d'exiger que soit également débaptisé le pont d'Austerlitz ; à quoi l'Empereur avait répondu en souriant : « Il suffit amplement que mes armées y soient passées. »

Héros pointés

Le Parisien est un être pressé, affairé ; il ne baguenaude pas, il se fraie un chemin vers son objectif de l'instant : de toute façon, il y a tant et tant de belles choses à voir dans Paris que son regard a tendance à embrasser l'essentiel et à négliger le détail.

Ce détail, ce peut-être une plaque apposée ça et là, au coin d'une rue, au-dessus d'un porche, en mémoire d'une personne célèbre ou d'un parfait inconnu.

Chaque année, le 8 mai, des dizaines de bouquets bleu, blanc, rouge, redonnent vie à ces plaques discrètes, nous invitant à nous souvenir de ceux qui sont morts là, en pleine rue, pour la libération de Paris.

Et du coup, nous levons enfin le bout du nez vers une multitude d'autres inscriptions commémoratives plus haut perchées ; il y a de quoi faire, pensez, elles sont plus de 3 500 si l'on en croit la parole des scouts chargés il y a quelques années par la préfecture d'en dresser l'inventaire.

Bien sûr, ces inscriptions fourmillent particulièrement au cœur de Paris.

Prenons pour exemple les rues Rollin et du Cardinal-Lemoine, petites artères du quartier Mouffetard (5e arr.). Au n° 14 de la rue Rollin résida Descartes : la plaque signalant son passage a été installée en 1987 par le Collège de philosophie, à l'occasion des 350 ans du *Discours de la méthode*. Au n° 9, a été inhumé en 1676 Paul de Chomedey, sieur de Maisonneuve, gouverneur fondateur de la ville de Montréal. Le n° 6, quant à lui, nous signale la résidence en ces lieux du poète Benjamin Fondane, mort en déportation. À quelques dizaines de mètres, dans la rue Descartes, une plaque commémorative estampille la maison où mourut le poète Verlaine, le 8 janvier 1896.

À quelques pas encore, rue du Cardinal-Lemoine, se massent chaque jour des groupes de touristes américains : Hemingway vécut ici avec sa femme. Tout cela est bel et bon ; mais alors pourquoi aucune plaque ne signale-t-elle que Pascal est mort au n° 67 de cette même rue, que Saint-Just a été incarcéré au n° 63 et que Bernardin de Saint-Pierre a résidé au n° 4 de la rue Rollin ?

Il y a là de quoi crier à l'injustice ! Ou bien, à tout le moins, de quoi se demander comment ces plaques sont – ou ne sont pas – arrivées là ?

En réalité, chacun de nous peut tenter sa chance : si vous pensez que votre grand-mère était une femme formidable à laquelle l'histoire n'a pas rendu justice et qu'elle mérite bien une plaque, vous pouvez constituer un dossier, casser votre tirelire ou lancer une souscription.

Deux sortes d'hommage public sont envisageables : à l'initiative de la ville de Paris, ou à celle de particuliers ou d'associations.

Le premier objectif est d'obtenir l'accord du propriétaire des lieux. C'est essentiel : juridiquement la plaque devient un « bien immeuble par destination », elle sera donc désormais sa propriété.

Le président de la République ou le pape en personne peuvent bien avoir occupé les lieux, si le propriétaire s'oppose à la pose d'une plaque, inutile d'insister : la propriété privée, c'est sacré !

Mais s'il accepte, il doit assumer : un article du code de l'urbanisme lui fait en effet obligation de sceller à nouveau la plaque après des travaux ou un ravalement par exemple.

Viennent les étapes suivantes : accord de l'architecte des Bâtiments de France s'il s'agit d'un site classé, présentation du dossier au conseil de Paris et enfin, autorisation du préfet après contrôle du texte.

Dernière obligation : la personne à laquelle l'hommage est rendu doit avoir disparu depuis dix ans au moins.

Pour votre grand-mère, adressez-vous directement à la préfecture sans passer par le conseil de Paris et sachez qu'aucun délai n'est exigé passée la disparition de celle que vous souhaitez honorer.

Venons-en à l'objet proprement dit : ces plaques sont le plus souvent en comblanchien, une pierre qui résiste au temps et aux intempéries et vieillit bien mieux que le marbre ; mais le granit noir a également fait son apparition ces dernières années.

« 30 x 40 cm, nom, dates, a vécu, est mort », c'est le texte lapidaire que prévoyait au départ la réglementation.

Mais avec le temps, elle s'est assouplie et le contrôle tant sur le contenu que le contenant de ces inscriptions est devenu moins rigoureux : ainsi, à l'époque où Louis XVIII a décidé de mettre un peu d'ordre dans la procédure, il n'aurait sans doute pas admis un Claude François ou une Dalida au nombre des récipiendaires de l'hommage public !

De toute façon, vouloir honorer quelqu'un de cette manière exige une certaine motivation : entre la pierre, la gravure et le scellement, il faut compter dans les 1 500 euros pour le modèle de plaque le plus simple.

C'est d'ailleurs la raison pour laquelle ce sont souvent des associations qui se constituent pour pouvoir collecter les fonds nécessaires.

En dehors de celle de Louis-Ferdinand Céline, seule plaque parisienne à avoir été posée puis déposée par arrêté préfectoral, certaines plaques ont donné lieu à de violentes polémiques.

Tempêtes dans un verre d'eau, querelles de clocher à la française ?

Pas seulement ! Il se trouve que Jimi Hendrix, lors de son séjour à Londres, eut la bonne idée de résider au même endroit qu'Haendel. À l'heure qu'il est, leurs fans sont à la limite d'en venir aux mains pour savoir s'il est envisageable de faire cohabiter les plaques commémoratives de leurs idoles respectives sur une même façade !

Et l'on prétend que la musique adoucit les mœurs !

À cœurs vaillants…

Combien de grands morts reposent aux Invalides ? Napoléon Ier, son fils… mais qui d'autre ? Ne cherchez pas davantage, la liste en est bien plus longue que celle des 73 grands hommes inhumés au Panthéon.

Non seulement l'Hôtel national des Invalides abrite les restes mortels de plus de 120 personnes, mais il est le plus important dépôt de cœurs ou « carditaphe » de France.

D'où vient que l'on en ait tant conservé ? Longtemps, le cœur fut considéré comme siège de l'âme et conservé comme tel. Dès le XIIIe siècle, les rois de France prennent l'habitude de désigner de leur vivant l'institution ou l'église à laquelle échoira à leur mort leur cœur soigneusement embaumé : Henri IV en fait don au Collège royal du prytanée de la Flèche, Louis XIII et son fils Louis XIV feront l'hommage du leur à l'église Saint-Louis-des-Jésuites (actuelle église Saint-Paul, dans le Marais à Paris).

Avec le temps, l'habitude fut prise de conserver également les nobles viscères de personnages moins importants. Voilà qui explique pourquoi bien des cœurs ont aussi été transférés aux Invalides.

Certaines dépouilles reposant en ce lieu ont été privées de leur cœur, comme celle du grand Turenne, du général de Lariboisière, ou du général Bessière, tandis que d'autres cœurs reposent ici sans dépouille.

Le premier de ces « cœurs solitaires » fut celui de Vauban, exhumé à Bazoches dans la Nièvre à la demande de Napoléon et transféré aux Invalides le 26 mai 1808.

Bien d'autres allaient suivre. Dans la chapelle Saint-Jérôme, une urne funéraire contient non seulement le cœur du général Leclerc, mais également celui de son fils Dermide, mort à l'âge de 7 ans, le 14 août 1805.

Juste à côté, dans la pénombre de la crypte des Gouverneurs, sont réunis dans leur dernier sommeil les dépouilles des plus grands de nos soldats ainsi que des cœurs conservés dans des urnes de marbre noir posées sur des cippes. Il y a là le cœur d'Éblé, qui fit construire par ses pontiers une passerelle sur la Bérézina pour permettre la fuite de la Grande Armée ; celui du général Baraguey d'Hilliers, mort de fatigue et de maladies contractées pendant la retraite de Russie ; ceux des lieutenants généraux de Conchy et de Bisson, du général d'Hautpoul, du général Négrier, du maréchal Sérurier...

Les deux derniers cœurs transférés dans la crypte ont été, en 1904, celui offert aux Invalides par ses arrière-petits-neveux du « premier grenadier de la République » en la personne de La Tour d'Auvergne et, beaucoup plus proche de nous, en 1992, celui de Larrey, médecin de la Grande Armée, ainsi que ses entrailles.

Au milieu de tant de cœurs masculins, les Invalides n'ont accueilli que deux cœurs de femmes : celui de Catherine de Wurtemberg, décédée en 1835, qui repose près de son mari dans la chapelle Saint-Jérôme. Puis, le cœur d'une magnifique figure féminine de notre histoire, immortalisée sous le nom d'« héroïne au verre de sang » : Marie Maurille de Sombreuil, comtesse de Villelume, fille du gouverneur des Invalides sous la Révolution.

En 1792, au moment des massacres de septembre, Sombreuil ne put résister à l'assaut du peuple parisien quand celui-ci vint chercher des armes pour prendre les Tuileries. Il est arrêté le 16 août 1792 et incarcéré à la prison de l'Abbaye. C'est alors, du moins la légende le prétend-elle, qu'il fut épargné parce que sa fille Marie accepta de boire un verre de sang humain ! Le révolutionnaire Stanislas-Marie Maillard, dit « Tape dur », aurait plongé un verre dans un baquet qui recueillait le sang bien frais des décapités et l'aurait offert à Marie en la menaçant d'exécuter son père sur le champ si elle n'obtempérait pas. Marie l'aurait bu sans hésiter en s'écriant : « Vive la Nation ! »

Une légende, sans nul doute, car il n'y a jamais eu de guillotine à la prison de l'Abbaye.

Vrai ou faux, cet acte héroïque a inspiré de nombreux auteurs, au premier rang desquels le plus grand de nos poètes, Victor Hugo :

Ô jour où le trépas perdit son privilège,
Où, rachetant un meurtre au prix d'un sacrilège,
Le sang des morts coula dans son sein virginal !
Entre l'impur breuvage et le fer parricide,
Les bourreaux poursuivaient l'héroïne timide
D'une insulte funèbre et d'un rire infernal !

Sombreuil sera finalement exécuté pendant la Terreur et Marie, elle, choisira l'exil en Allemagne. Elle repose au cimetière de Saint-Véran, à Avignon. En 1850, l'urne funéraire contenant son cœur sera acheminée à Paris par bateau. Le cœur de Marie remonte le Rhône, puis la Seine, et parvient à la capitale le 25 novembre de la même année.

Seule femme présente dans le caveau des Gouverneurs, elle remplace, là où il aurait dû reposer, son père inhumé dans les fosses communes de Picpus.

Exemple magnifique de piété filiale, Marie de Sombreuil a donné son nom à un beau rosier grimpant…

Ça s'en va et ça revient

Les premières montagnes russes parisiennes apparurent vers 1816, près de l'actuelle villa des Ternes (17e arr.). En Russie, ces toboggans recouverts de glace existaient depuis longtemps : la grande Catherine en raffolait ! Mais c'est bien plus tard que vint l'idée de doter les chariots de roues afin de pouvoir glisser en toutes saisons. Les wagons atteignaient alors à peine 40 kilomètres à l'heure, mais l'équipée n'était pas sans danger : les sorties de piste étaient fréquentes et il y eut même plusieurs morts au jardin Beaujon (8e arr.), sur les Champs-Élysées. Avec le temps, l'attraction fut plus sûre – en 1817, les montagnes de Belleville sont les premières dont les voitures sont attachées à la voie – et les sensations plus fortes : en 1846, le journal *L'Époque* signale au jardin Frascati le seul « chemin de fer centrifuge de France », comprenez le premier *looping* !

Joseph Oller, créateur du pari mutuel, futur propriétaire du *Moulin Rouge*, achète en 1888, boulevard des Italiens, un terrain sur lequel il installe lui aussi des montagnes russes ; quatre ans plus tard, elles sont interdites dans Paris par la préfecture à cause des risques d'incendie. L'établissement qui leur succède sur le boulevard connaîtra un destin plus faste mais tout aussi remuant, puisqu'il s'agira... de l'Olympia !

Les rois de la petite reine

Le premier vélo digne de ce nom fut mis au point à Paris. Certes, le « vélocipède » avait été breveté en 1818 par un Allemand, le baron Drais, qui eut l'idée de relier deux roues par une poutre en bois et d'avancer en poussant des pieds sur le sol. Mais c'est à Paris que le réparateur de fiacres Pierre Michaux et son fils Ernest apportèrent au vélocipède germanique la touche française qui allait révolutionner ce prometteur moyen de transport.

Ayant enfourché la « draisienne » dont son père venait de réparer la roue avant, Ernest se plaignit de devoir garder en permanence les jambes en l'air : pour en finir avec cette contrainte, père et fils inventèrent les premières pédales (mars 1861) !

La première course de vélo eut lieu huit ans plus tard en région parisienne, avec des engins désormais pourvus de freins ! Mais une autre révolution était encore à venir : l'invention par un vétérinaire écossais, en 1888, du « tube creux de caoutchouc gonflé d'air » ; autrement dit, du pneumatique. Ce vétérinaire s'appelait Dunlop !

Après avoir rendu justice aux Michaux, on osera un ultime cocorico en rappelant que lorsque pour la première fois de son histoire le Tour de France passa sur les Champs-Élysées (20 juillet 1975), c'est un Français, Bernard Thévenet, qui remporta le maillot jaune.

Champollion

Dans un « bureau grenier » du 28, rue Mazarine, derrière la bibliothèque du même nom, Jean-François Champollion travaille frénétiquement. Depuis qu'il a quitté Grenoble pour rejoindre ici son frère aîné (juillet 1821), il s'est promis d'être le tout premier à déchiffrer les hiéroglyphes. Il maîtrise le syriaque, le chaldéen, l'hébreu, l'arabe, le persan ; il parle copte couramment, cette langue dont on croit savoir qu'elle est la langue vivante la plus proche de celle des anciens Égyptiens. Ses grimoires ? Des copies de « cartouches » de la pierre de Rosette. Trouvée en Égypte, en juillet 1799, par l'officier du génie jurassien Pierre-François Xavier Bouchard qui participait à des travaux de terrassement dans le village de Rosette, la stèle de basalte noir a été exigée par les Anglais lors de la capitulation du général Menou et se trouve désormais au British Museum dont elle devient, dès 1802, l'œuvre la plus visitée. Voilà pourquoi Champollion travaille sur des copies. Sur la pierre a été gravé un édit du pharaon Ptolémée V, d'une part en hiéroglyphes, d'autre part en démotique (version simplifiée des hiéroglyphes), et enfin et surtout, en grec. Cette stèle, Champollion en est persuadé, est la clef pour déchiffrer les hiéroglyphes !

Le 14 septembre 1822, rue Mazarine, Champollion décrypte le premier mot : *Ramsès*. Il se précipite alors comme un fou à la bibliothèque Mazarine où travaille son frère puis, exténué, après lui avoir déclaré enthousiaste : « Je tiens l'affaire », il tombe en syncope et va rester cinq jours dans une sorte d'état cataleptique. Le 22 septembre, il remet à l'Académie des belles-lettres (son frère était collaborateur d'un secrétaire perpétuel de cette même Académie) ses travaux dont allait sortir toute l'égyptologie. Nommé membre de l'Institut en 1830, il devient titulaire en 1832 de la chaire d'égyptologie créée à son intention au Collège de France par le roi Louis-Philippe.

Le jour de ses 41 ans, usé par des années de travail et de surmenage, sentant venir sa mort prochaine, Champollion se fera transporter rue Mazarine : « C'est là que ma science est née », dira-t-il.

La veille de sa mort (4 mars 1832), il demandera à voir des objets familiers rapportés d'Égypte comme son caftan ou ses babouches. Ses obsèques seront célébrées à Saint-Roch où il se rendait souvent pour entendre la messe en copte.

S'il avait vécu davantage, il aurait bataillé pour que l'obélisque de Louxor, qu'il avait choisi en personne sur le site de Thèbes (obélisque offert à la France en 1830 par le vice-roi d'Égypte Mehmet Ali), soit érigé à la place où se trouve de nos jours la pyramide du Louvre. Il souhaitait qu'il fût dressé près des collections égyptiennes qu'il avait constituées au cours de son expédition.

Question : qu'y aurait-il alors au centre de la place de la Concorde ?

Avec le temps, l'obélisque de Louxor est devenu aussi emblématique de la capitale française que la tour Eiffel ou Notre-Dame ; c'est aussi le plus vieux monument de Paris, puisqu'il est contemporain du pharaon Ramsès II.

Au terme d'un voyage de trois ans, le monolithe sera finalement érigé sur la place de la Concorde le 25 octobre 1836. Champollion, nous l'avons dit, aurait désapprouvé ce choix ; mais pourquoi donc avoir désobéi à son souhait de voir le monolithe dressé devant le Louvre ? Tout simplement, la place de la Concorde était un choix politique : placer un monument totalement étranger à l'histoire nationale sur ce haut lieu de la Révolution française devait en effet empêcher que partisans ou détracteurs de la Révolution ne l'identifiassent à leur cause.

Pour remercier l'Égypte de ce cadeau monumental, la France lui offrit en retour une horloge ornant aujourd'hui encore la citadelle du Caire, horloge dont les Cairotes prétendent avec malice qu'elle n'a jamais fonctionné !

Cholériques...

Survenu le 26 mars 1832, le décès du cuisinier du maréchal Lobau fut annoncé par la plupart des journaux parisiens. S'agissait-il d'un as de la gastronomie française ? Pas du tout ! Seulement, l'infortuné cuistot était apparemment la première victime parisienne du choléra ! Dans les jours qui suivirent sa mort, la terrible maladie se propagea de manière fulgurante, fauchant parfois en quelques jours à peine ceux qui en étaient atteints et faisant plus de 19 000 morts, dont 12 000 pour le seul mois d'avril. Comme on ignorait alors comment se transmettait la maladie, chacun y allait de son remède maison – camphre, pastilles de menthe, sangsues, alcool, charbon pilé – tout en continuant à boire l'eau contaminée de la Seine ou du canal de l'Ourcq.

Témoin de ces heures sombres, Chateaubriand décrit dans ses *Mémoires* ce Paris du printemps 1832 ; un Paris baignant dans une odeur de chlore, où le pont Neuf est encombré de brancards et la rue de Sèvres envahie de corbillards, un Paris dont les églises sont tendues de noir et où tous les passants sont en tenue de deuil.

La seule rue de la Mortellerie compta 300 morts. Persuadés que ce nom portait malheur, les riverains demandèrent par pétition à ce que la rue soit débaptisée. Voilà pourquoi depuis le 16 février 1835, la rue de la Mortellerie s'appelle rue de l'Hôtel-de-Ville.

Violons

Publié en 1833, le livre de Tocqueville sur le système pénitentiaire américain influença la création dans Paris des premières « prisons cellulaires » destinées à remplacer les salles communes propices à l'apprentissage de la violence, donc à la récidive. La Petite-Roquette, ouverte en 1836, fut bientôt suivie de Mazas (1850), immense établissement de 1 200 cellules, puis de la Santé (1867), décrite à l'époque comme « la plus belle prison de la capitale » ; les détenus y fabriquent des boas et des fleurs artificielles !

De vingt-deux prisons dans Paris *intra-muros* en 1838, on passe à sept à la fin du siècle : Mazas, la Conciergerie, Sainte-Pélagie, la Petite-Roquette et Saint-Lazare pour les femmes et enfin le dépôt et la Santé, seuls de cette liste à être encore en activité de nos jours.

À part la Conciergerie où séjournèrent Ravaillac, Marie-Antoinette ou Ravachol, les prisons historiques ont toutes été détruites : le Châtelet où demeura Clément Marot pour avoir mangé du lard pendant le Carême ; la Bastille dont Sade, Cagliostro, le Masque de fer et Fouquet hantèrent les murs. Auteur d'un pamphlet sur le régent, Voltaire y fit un premier séjour à l'âge de 23 ans puis fut gratifié à sa sortie d'une rente de 1 000 écus. Du coup, il adressa au régent ce mot fameux : « Je remercie Votre Altesse Royale de ce qu'elle veut bien se charger de ma nourriture, mais je la prie de ne plus se charger de mon logement. »

Retrouvailles ad patres

Pour les Français, il fut le roi de Rome ou l'Aiglon, pour les Autrichiens, il fut prince de Parme puis duc de Reichstadt. Mort à l'âge de 21 ans au château de Schönbrunn, le 22 juillet 1832, le fils de Napoléon Ier fut inhumé dans le tombeau des Habsbourg à Vienne. Lorsque pour la première fois il revint en France, à Paris, ce fut donc largement *post mortem*.

Qui donc a voulu et organisé le retour de sa dépouille ? La réponse est à peine croyable : ce fut Adolphe Hitler.

Sans doute le dictateur se croyant l'égal du grand conquérant s'est-il conféré le droit de réunir père et fils ?

Toujours est-il que le 15 décembre 1940, par une nuit glaciale du Paris occupé, se déroula aux Invalides l'une de ces mises en scène grandiloquentes et sinistres dont les nazis avaient le secret : vers une heure du matin, le lourd cercueil de bronze porté par vingt-quatre soldats allemands progressa dans la neige et le vent entre deux rangées de porteurs de torches. À mi-chemin de la chapelle, l'ambassadeur d'Allemagne remit le cercueil à Darlan, représentant les autorités françaises.

Le lendemain, le « gratin napoléonien » se réunissait au même endroit dans l'indifférence générale. Il se trouva cependant quelques Parisiens assez bravaches pour ironiser sous cape en disant des Allemands : « Ils nous prennent notre charbon et nous renvoient des cendres ! »

Cet épisode est oublié, mais le douloureux destin de Napoléon II n'a, lui, jamais cessé d'émouvoir ; depuis son « retour », il s'est toujours trouvé quelqu'un pour fleurir son tombeau d'un bouquet de violettes.

Hôtel des haricots

Inaugurée le 4 février 1851, la bibliothèque Sainte-Geneviève située place du Panthéon fut la première bibliothèque publique de Paris. Jusqu'alors, elle occupait l'ancienne abbaye Sainte-Geneviève, devenue école en 1796, puis lycée Napoléon et lycée Henri IV. C'est à cette époque qu'une « guéguerre » de trente ans va opposer bibliothécaires et proviseurs : soutenus par d'anciens élèves comme Victor Hugo et Michelet, les uns refusent de quitter les lieux, tandis que les autres invoquent le poids des livres comme une menace pour les planchers vermoulus des galeries. Le principe de l'expulsion est finalement acquis en 1840 ; reste un léger détail : où transférer les milliers de livres ?

On envisage un moment de transformer en bibliothèque... le Sénat ou le théâtre de l'Odéon ! Puis on choisit l'emplacement d'une bâtisse médiévale promise à la destruction : Montaigu, l'ancien collège des « capettes », minables écoliers vêtus de capes étriquées, mal nourris, battus par « frère Tempeste, le grand fouetteur ». Montaigu, maison si vétuste, si malsaine qu'elle devient prison militaire pendant la Révolution sous le nom d'« hôtel des haricots », avant d'être définitivement abandonnée.

Lecteurs qui fréquentez Sainte-Geneviève, ayez une pensée pour les misérables écoliers qui usèrent ici même leurs fonds de culottes : ils eurent pour noms Érasme, Ignace de Loyola, Calvin et Rabelais.

Universels !

La première Exposition universelle française eut lieu à Paris en 1855. Pour la première fois se trouvaient réunis agriculture, industrie et beaux-arts.

Le prince Napoléon préside les travaux d'une commission où se côtoient des Delacroix, Ingres, Ferdinand de Lesseps, Visconti, architecte de l'Empereur et autres sommités.

C'est le triomphe des nouvelles technologies : vapeur, électricité, photographie. Des milliers de machines, hélices, turbines, pompes et presses, laminoirs et dévidoirs sont présentés en activité. Les sidérurgistes de tous les pays exposent leurs productions colossales : blocs de houille de deux mètres cubes, plaques de métal géantes, devant lesquels viendra s'extasier la reine Victoria.

Ce qui frappe aujourd'hui, c'est l'autosatisfaction manifestée par la presse de l'époque : « Rien ne nous a moins étonnés que cette foi unanime en notre supériorité industrielle et artistique admise par toutes les nations civilisées » (*L'Illustration*). Ou encore : « L'admiration pour notre patrie est aujourd'hui la communion du genre humain. »

Récapitulons : en 1855, une reine anglaise sera la dernière souveraine à entrer dans la capitale par la monumentale porte Saint-Denis commémorant la victoire française de Maastricht, pour se rendre à cette exposition dont l'un des organisateurs non encore cité fut... le baron Achille Sellières !

Réaction chimique

Parmi les 72 noms de scientifiques, ingénieurs et industriels gravés sur la tour Eiffel, figure celui du chimiste Louis Jacques Thénard (1777-1857). Originaire des environs de Sens, celui-ci se destinait à devenir pharmacien lorsqu'il débarqua à Paris en 1794, année même où tombait sur l'échafaud la tête de Lavoisier, créateur de la chimie moderne. Admis dans le laboratoire de Vauquelin, Thénard est bientôt nommé répétiteur à l'École polytechnique, puis récupère en 1802 la chaire de Vauquelin au Collège de France. En 1809, il devient le premier titulaire de la chaire de chimie de la Faculté des sciences de Paris. C'est à Thénard que la manufacture nationale de porcelaine de Sèvres doit l'invention du bleu de cobalt, dit aussi « bleu Thénard » ; c'est également à lui que l'on doit la découverte de l'eau oxygénée, du bore, et la mise au point du procédé qui permit de sauver de l'humidité les fresques du peintre Gros sur la coupole du Panthéon !

D'où vient alors qu'ignorant tout de ce brillant palmarès scientifique, le nom de Thénard nous soit cependant familier ? Sans doute de ce que Thénard s'étant opposé à la réduction du temps de travail quotidien des enfants préconisée par son ami Victor Hugo, au moment même où la France adoptait une importante loi sur cette question (loi du 21 mars 1841 selon laquelle, dans les entreprises de plus de 20 ouvriers, les enfants de moins de 8 ans ne pouvaient plus travailler), le poète punit sur le papier l'inflexibilité de son ami en donnant au plus sinistre personnage des *Misérables*, l'exploiteur cruel et cynique de la petite Cosette, le nom de… Thénardier !

Évoquant Thénard comme figurant au nombre des 72 scientifiques dont les noms sont inscrits sur la tour Eiffel, nous avons omis de préciser que cette liste ne comportait aucune femme ! Il est vrai qu'en 1889, lorsque furent désignés ces messieurs, Maria Sklodowska n'était pas encore Marie Curie (elle n'avait alors que 22 ans). Mais il y aurait eu une candidate toute trouvée, parisienne de surcroît :

Sophie Germain (1776-1831), considérée comme la première mathématicienne française. Sophie était issue d'une famille bourgeoise de commerçants, son père fut d'ailleurs député du tiers état à l'Assemblée constituante en 1789. On prétend qu'elle aurait découvert les mathématiques à l'âge de 13 ans en lisant la vie d'Archimède et qu'elle étudiait Euler et Newton en cachette de ses parents. À 19 ans, elle se procure les cours d'un ancien élève de l'X nommé Le Blanc ; elle va en usurper l'identité pour correspondre avec Lagrange, professeur à l'X, puis avec l'Allemand Carl Friedrich Gauss. Tous deux réaliseront bientôt, incrédules, que leur brillante interlocutrice est « une simple femme ». Reçue en 1816 au concours de l'Académie des sciences pour ses travaux sur la théorie des surfaces élastiques, Sophie Germain est la première femme autorisée à assister aux séances de l'Institut. Autant dire qu'en figurant sur la Tour, le nom de cette « boss des maths » n'aurait en rien déparé ceux des inventeurs de la saponification et de la chaudière tubulaire !

Aucun nom de femme sur la tour Eiffel ! Aurons-nous plus de chance au Panthéon ? Combien de femmes chez les grands hommes ? Bien médiocre pêche, puisqu'il n'y en a que deux en tout et pour tout, la plus connue d'entre elles étant Marie Curie. Mais quelle fut donc la seconde femme désignée pour être honorée à perpétuité par ses compatriotes ?

Il s'agit de Sophie Niaudet. Et si son nom de jeune fille ne vous dit rien, peut-être son nom d'épouse, Sophie Berthelot, vous inspirera-t-il davantage ?

Mme Berthelot est au Panthéon pour un haut fait très estimable : avoir épousé Marcelin et être morte une heure avant lui. Car dans la famille Niaudet-Berthelot, le grand homme, ce fut Marcelin : entre 1851 et 1900, il sera successivement professeur au Collège de France, membre de l'Académie de médecine, de l'Académie des sciences et de l'Académie française, grand-croix de la Légion d'honneur, sénateur, ministre de l'Instruction publique et des Affaires étrangères… j'en passe et des meilleures !

Aujourd'hui, son nom ne nous dit plus grand-chose, mais en son temps il connut une célébrité universelle, comparable à celle de Pasteur. Il avait toujours dit qu'il ne souhaitait pas survivre à son épouse Sophie Niaudet si elle disparaissait avant lui. Et c'est ce qu'il advint, Mme Berthelot étant malade. Elle meurt le 18 mars 1907. Une heure plus tard, Marcelin la suit dans la tombe !

Pour Jean Jacques, lui aussi chimiste, ami de Berthelot, il ne fait pas de doute qu'il s'agissait d'un suicide.

Enfin, quoi qu'il en soit, la patrie reconnaissante a considéré que l'on ne pouvait pas séparer les deux époux et voilà comment, une semaine tout juste après leur mort, ils furent transférés au Panthéon ; et voici encore comment Mme Berthelot fut la première femme à y entrer, avant même Marie Curie. Celle-ci a été également inhumée au Panthéon avec son mari, mais cette fois de plein droit, parce qu'elle aussi était un « grand homme » ! Ce transfert au Panthéon des deux scientifiques de génie ne s'est d'ailleurs effectué que tardivement, puisqu'il a eu lieu en 1995.

Vieille canaille !

Le 11 mai 1857 mourait Vidocq, célèbre bagnard devenu chef de la police de sûreté, mais aussi père du roman policier. Ses *Mémoires* sont un tissu de vantardises mais il faut s'en contenter, les archives de la préfecture ayant brûlé en 1871.

Fils d'un boulanger d'Arras, il aurait vu le jour en 1775, à quelques pas de la maison natale de Robespierre. Chapardeur précoce, n'ayant pas hésité à voler ses propres parents qu'il abandonne à l'âge de 16 ans, puis déserteur, il est condamné pour faux en écriture à huit ans de bagne le 27 décembre 1796. Il connaîtra la cruelle réalité de la chaîne et fréquentera aussi bien le bagne de Brest que celui de Toulon : de l'un comme de l'autre, il s'évadera !

On a conservé son signalement : « 22 ans, taille de 5 pieds, 2 pouces, 6 lignes (ce qui donne 1,69 mètre, c'est-à-dire tout à fait dans la moyenne pour l'époque), cheveux sourcils châtain clair, barbe de même, visage bourgeonné ; les yeux gris, le nez gros, la bouche moyenne, le menton rond et fourchu. Front bas, ayant une cicatrice à la lèvre supérieure côté droit ; les oreilles percées. »

S'étant échappé du bagne, il va faire des offres de service à la police pour laquelle il commence à travailler comme indicateur ; puis, sa parfaite connaissance du « milieu » lui vaut en 1811 d'être mis à la tête d'une brigade spéciale constituée d'anciens forçats. Il est donc employé par la police, alors même qu'il est toujours considéré comme un forçat échappé.

Logée rue Sainte-Anne, cette bande de coupe-jarrets est chargée de 1812 à 1827 de protéger les honnêtes gens des « coquins ». Consciencieux, Vidocq publie des statistiques : pour 1817, 772 arrestations ! Nature des vols ? « À la détourne et au bonjour », « à la tire et au filou », « à la gêne et au flouant » ! Objets des délits ? « Rampes enlevées, plombs dérobés, vingt réverbères pris rue Fontaine-au-Roi. »

Après avoir quitté définitivement la police en 1827, il se lance un temps dans les affaires en créant une petite entreprise de papier ; mais l'affaire périclite et il ne tarde pas à revenir à ses premières amours en fondant dans les années 1830, au 20, rue du Pont-Louis-Philippe (entre le quai de l'Hôtel-de-Ville et la rue de Rivoli), le « bureau de renseignements pour le commerce », première agence de détective privé de notre histoire.

Devenu un mythe, Vidocq a inspiré à Hugo le personnage de Jean Valjean, à Balzac celui de Vautrin, à Alexandre Dumas père celui du policier Jackal dans *Les Mohicans de Paris*, et à Eugène Sue celui de Rodolphe de Gerolstein dans *Les Mystères de Paris*.

Face à une telle série noire, les Maigret et autres Nestor Burma peuvent aller se rhabiller !

Le zouave du pont de l'Alma

Les Parisiens sont très attachés au zouave du pont de l'Alma, mais ils s'intéressent à lui de façon intermittente. Que le niveau de la Seine vienne à monter et alors tout-

Paris s'inquiète de lui : « Alors, où en est le zouave ? A-t-il les pieds – ou plutôt les guêtres – dans l'eau, les genoux, la taille ? »

Bien sûr, il existe sur d'autres ponts des échelles de chiffres, mais on ne comprend rien du tout aux problèmes d'étiage du fleuve ! Alors, décidément, rien ne vaut notre bon vieux zouave, ça au moins c'est du sérieux et on est fixé !

En 1910, année de la grande inondation, ce fut l'émoi général lorsque l'eau effleura son menton à 8,62 mètres. Il s'en fallut de peu pour que le malheureux ne boive la tasse.

Mais au fait, quel âge a-t-il le vieux soldat ? 155 ans !

Le pont sous lequel il monte la garde fut commencé en 1854 et baptisé de « l'Alma » en mémoire de la première victoire remportée sur les Russes en Crimée par les troupes franco-anglaises. Le pont est inauguré par Napoléon III le 2 avril 1856. Depuis tout ce temps, le célébrissime zouave de Diebolt regarde l'eau couler sous les ponts. Surplombant une Seine canalisée depuis belle lurette, il ne risque plus désormais qu'un bon bain de pieds.

Il y a tout de même une énigme autour du pont de l'Alma. Après sa reconstruction en 1974, le zouave s'est retrouvé tout seul comme par enchantement, replacé de l'autre côté du pont. Pourtant, il y avait là auparavant quatre statues de soldats : un grenadier et un zouave ciselés par Diebolt, un chasseur et un artilleur par Arnaud. Tous les quatre recevaient de la même manière les caresses de la Seine ! Alors pourquoi, mais pourquoi donc, ne parlait-on déjà que du zouave ? Pourquoi ses camarades aussi imbibés que lui n'intéressaient-ils personne et ont-ils été chassés ? Il y a là une injustice inexplicable : est-ce sa culotte bouffante et sa coiffe étrange qui justifiaient la tendresse particulière que lui portaient les Parisiens ?

Songez qu'en 1974, alors que l'édifice n'en avait nul besoin, il a été prévu de lui ajouter une pile uniquement pour replacer le zouave à sa place d'origine.

Et puis encore, une grave question : où sont passés les autres soldats ? Interrogé, le musée Carnavalet répond que le chasseur à pied, visible depuis l'autoroute A4, est adossé à la redoute de Gravelle dans le bois de Vincennes ; le grenadier de Diebolt est à Dijon, ville natale de son auteur ; et l'artilleur, enfin, a été transféré à La Fère, dans l'Aisne, ville où était implanté jusqu'en 1993 le 41e régiment d'infanterie de marine.

Devenus banlieusards ou provinciaux, ces messieurs sont certainement plus appréciés là où ils se trouvent maintenant. Entre un zouave outrageusement chouchouté et, à quelques mètres de là, une flamme de la statue de la Liberté transformée en mémorial à Lady Di, il n'y aurait plus guère de place dans le périmètre pour trois troufions inconnus au bataillon : pas assez people !

Le coup de Grâce

Combien y a-t-il de fontaines Wallace dans Paris ? Difficile à dire. Car là où le passant assoiffé voit en chacune la énième version d'un même objet, les passionnés vont opérer de savants distinguos : authentiques ou fausses Wallace ? Grands ou petits modèles ? Édicules à colonnettes ou en applique ? Au final, l'un dira soixante, l'autre quatre-vingts, voire une centaine.

Il n'existe en revanche aucun doute sur l'emplacement de la première d'entre elles : elle se trouvait face au 214, boulevard de la Villette, dans le 19e arrondissement. *L'Illustration* du 17 août 1872, relatant son inauguration, décrit les Parisiens faisant procession pour un simple gobelet d'eau de la Dhuys, une eau qui avait tant manqué pendant le siège de Paris. Le canal de l'Ourcq et l'aqueduc de la Dhuys étant fermés, la ville ne disposait plus en effet que de deux sources d'approvisionnement en eau : la Seine et les puits. Aussi, la guerre passée, Wallace eut-il l'idée de doter la capitale de « cinquante fontaines à boire ». Dans ses colonnes, *L'Illustration* remercie chaleureusement le riche mécène anglais qui faisait à la capitale française ce généreux cadeau. Paris comptera cinquante-sept fontaines Wallace en 1878, près de cent à la veille de 1900.

Qui était Richard Wallace ? Fils naturel d'un anglais, Lord Seymour Hertford, quatrième marquis du même nom, et d'une certaine Agnès Jackson, née Wallace et d'origine française, Richard hérite à la mort de son père en août 1870 d'une véritable fortune : quelque 60 millions de francs, accompagnés de divers biens immobiliers en France et en Angleterre. Lord Seymour possède un immeuble entier rue Laffitte, dans le 9e arrondissement, mais aussi le domaine de Bagatelle à Neuilly.

À Paris, il fréquente beaucoup le milieu littéraire et artistique, il a connu Baudelaire, Flaubert et Théophile

Gautier ; c'est aussi un grand amateur d'art, il a la haute main sur la collection de tableaux, armes, meubles et autres objets de valeur de son père. À tel point d'ailleurs que le duc de Morny, demi-frère de Napoléon III avec qui il était souvent en compétition lors de ventes aux enchères, disait à son sujet : « Il avait une vaste fortune pour ne jamais s'en servir, de magnifiques maisons en Angleterre pour ne jamais y mettre les pieds, et de très beaux tableaux pour ne jamais les voir. Il se contentait d'une bagatelle » (référence à la propriété de Bagatelle qui, nous l'avons signalé, lui appartenait).

Ce bienfaiteur aurait pu entrer dans l'histoire pour toutes sortes de raisons : pendant le siège de Paris, alors qu'il aurait eu l'opportunité de fuir la capitale pour se réfugier dans l'une de ses propriétés ou, mieux encore, en Angleterre, il choisit délibérément de rester dans Paris assiégée et affamée. Il va fonder un hôpital à Neuilly (l'hôpital franco-britannique qui existe toujours), créer des ambulances militaires pour les blessés, accueillir des victimes de bombardements et distribuer des vivres à la population : le tout, bien sûr, sur sa fortune personnelle.

Les Parisiens le considèrent déjà comme un bienfaiteur. Dans son livre *À travers Paris,* Georges Caïn, qui fut conservateur du musée Carnavalet, raconte l'anecdote suivante : dans la nuit du 8 au 9 janvier 1871, il y eut un bombardement par les Prussiens des serres du Jardin des plantes : 87 obus tombèrent alors sur le Muséum. Dans les serres, « tout est brisé, émietté, anéanti », mais parmi les décombres, quelques fleurs tiennent encore debout.

Les professeurs du Muséum d'histoire naturelle décident alors de composer un bouquet à partir de ces fleurs et de les offrir à Sir Richard Wallace, un bouquet qu'il conservera toujours. (Au même moment, apprenant que les Prussiens venaient de bombarder le Muséum d'histoire naturelle, Louis Pasteur renvoya son diplôme de docteur *honoris causa* à la faculté de Bonn.)

On le voit, le nom de Wallace aurait pu passer à la postérité à plus d'un titre ; mais c'est ainsi, il ne s'associe plus désormais qu'à ses fontaines (610 kg de fonte chacune !), tout comme Morris n'existe plus sans ses colonnes, ni Guimard sans ses entrées de métro !

Inutile de vous rendre sur place pour verser une larme émue sur la toute première fontaine Wallace de la capitale : emboutie par une voiture il y a une dizaine d'années, elle est partie à la casse ! Sachez également que de toutes les fontaines Wallace parisiennes, l'une se trouve en territoire étranger : présent de la ville de Paris à la Grande-Bretagne, elle accueille les visiteurs dans la cour de l'ambassade britannique, rue du Faubourg-Saint-Honoré.

En remerciement pour sa noble attitude durant la guerre, Wallace sera admis à l'unanimité au sein des deux grands cercles mondains qu'étaient l'Union (fondée en 1828 par Charle-Maurice de Talleyrand-Périgord pour réunir à Paris une élite française et étrangère), et le Jockey Club (fondé en 1834 pour l'amélioration des races de chevaux en France). Adolphe Thiers lui conférera en juin 1871 la croix de commandeur de la Légion d'honneur, tandis qu'à la même époque la reine Victoria l'anoblira en lui conférant le titre de baronnet.

Si Wallace a légué son extraordinaire collection d'œuvres d'art à l'État britannique (multiples toiles de grands maîtres européens comme Fragonard, Titien, Van Dyck, Vélasquez, Watteau ou Rembrandt), il est toutefois resté en France jusqu'à sa mort, survenue dans sa propriété de Neuilly le 20 juillet 1890. Son cortège funèbre fut salué par une foule de Parisiens et sa tombe, située au cimetière du Père-Lachaise, fut fleurie pendant bien longtemps.

Reste qu'il demeure tout de même un vrai mystère. C'est Wallace lui-même qui dessina sa fontaine en s'inspirant des *Trois Grâces* de Germain Pilon, monument reliquaire du cœur d'Henri II exposé au Louvre. Or, là où l'illustre artiste de la Renaissance a bien représenté les trois Grâces traditionnelles, Euphrosyne, Aglaé et Thalie, Richard Wallace a lui jugé utile d'ajouter une demoiselle de plus à sa création !

Mais ce n'est pas tout : il rebaptise au passage les déesses du Charme et de la Beauté, leur attribuant des vertus jugées peut-être de meilleur ton au lendemain de la Commune, « Simplicité », « Bonté », « Charité ». Quant à la petite nouvelle, jusqu'alors totalement inconnue au bataillon, il en fait la déesse de la « Sobriété ».

Libre à chacun de voir derrière cette appellation la patte du grand bourgeois moraliste, ou bien au contraire la subtile manifestation d'un sens de l'humour typiquement britannique.

Où l'on patine avec amour...

Toutes les villes du monde possèdent au moins l'une de ces fontaines où l'on jette une pièce par superstition, ou quelque statue pieuse ou profane dont on touchera ou caressera l'une ou l'autre partie pour se porter bonheur, comme le pied de la statue de Saint-Pierre ou la bouche de la vérité à Rome.

Abstraction faite de toutes les statues et autres reliques saintes objets de dévotion, quels sont les « must » pas très catholiques du Parisien superstitieux ?

Première étape obligée du Parisien et de la Parisienne qui souhaitent « patiner avec amour » : le gisant du journaliste Yves Salmon, au Père-Lachaise. Si ce nom ne vous dit rien, c'est qu'Yves Salmon est mieux connu sous le nom de Victor Noir, tué en duel à l'âge de 21 ans par un cousin de Napoléon III, Pierre Napoléon.

Le gisant de bronze réalisé par Aimé-Jules Dalou représente un Victor Noir tel qu'il était au moment même de sa mort, dans la minute qui suivit le tragique duel : le jeune homme est donc allongé, le pantalon dégrafé et gonflé par un membre proéminent. (Rigidité cadavérique ?) Il devait, paraît-il, se marier le lendemain du jour où il fut tué et c'est cette mort tragique et cet amour non abouti qui auraient conféré des pouvoirs magiques à son gisant, dont la braguette lustrée par des mains, et même dit-on, des fesses « crédules », brille de mille feux au beau milieu de tant de bronzes ternis par le temps.

Photo MRW.

Tombe de Victor Noir au Père Lachaise, par Jules Dalou.

À noter que les plus pudiques pourront se contenter de caresser l'extrémité de ses bottes, car les doigts de pieds intéressent également les superstitieux ; on en jugera d'après le soulier rutilant du Montaigne érigé devant la Sorbonne, du côté de la rue des Écoles. De même, rares sont les touristes qui résistent à la tentation de poser symboliquement le pied sur le point zéro, matérialisé par une plaque de cuivre sur le parvis de Notre-Dame ; point à partir duquel, on le sait, sont calculées toutes les distances entre Paris et le reste de la France.

Et puis, il y a la superstition parlementaire ! À Londres, les membres du Parlement britannique n'entrent pas dans la Chambre des communes sans toucher le pied de la statue de Churchill érigée dans le hall. Ce contact est censé améliorer leurs talents d'orateurs. De la même manière, le parlementaire français qui s'apprête à présider une séance de l'Assemblée doit-il caresser une sphinge particulière avant de pénétrer dans l'hémicycle (une sphinge étant un monstre fabuleux mi-femme mi-lion, doté d'ailes).

Longtemps, la tradition au Sénat fut de câliner la fesse d'une statue dont on prétendait que le modèle avait été Meg Steinheil, la jeune femme dans les bras de laquelle mourut le président Félix Faure. Cette statue, transférée au musée d'Orsay, a été restaurée : on a réparé les outrages répétés dont son fessier avait fait l'objet de la part des sénateurs des IIIe, IVe et Ve Républiques.

Privés des fesses de Meg Steinheil, les sénateurs cajolent désormais le sein d'une cariatide postée en bas d'un escalier.

Et pour la statue de Meg ? La séparer des sénateurs n'a en rien modifié son destin ! Au musée d'Orsay où se trouve désormais la belle alanguie, les visiteurs ont repris la tradition, de sorte que le postérieur de la dame semble ne jamais devoir goûter le repos.

Dehors, devant l'entrée du musée, on aura tout loisir d'admirer un groupe de statues où six magnifiques jeunes femmes représentent les six continents : toutes ces dames ont au moins un sein à l'air. Toutes, sauf l'Europe qui, elle, est couverte ! Installées en 1878 sur la tribune d'honneur du palais du Trocadéro, ces dames plastronnaient en un temps où il était bien vu qu'un vieux sénateur caressât une paire de fesses, mais interdit à l'allégorie de l'Europe de montrer un sein !

De ces nombreuses statues que l'on touche, brique, caresse ou effleure, toutes n'ont pas le même succès, mais toutes celles qui se trouvent en extérieur sont soumises à une menace commune : celle des pigeons ! De Kléber au duc d'Aumale, toutes nos gloires militaires servent de perchoirs aux pigeons dans les niches percées sur la façade du Louvre, du pavillon de Rohan au pavillon de Marsan. Reprenant la formule pleine d'esprit de Michel Folco dans *En avant comme en avant !* (Point Seuil), on serait tenté de dire : « Quand je vois ce que les pigeons ont fait à cette statue, je remercie Dieu de ne pas avoir donné d'ailes aux vaches. »

Bonnet rouge

Coiffée d'un bonnet phrygien d'où s'échappent des cheveux flottants, vêtue d'un corsage à lacets : voici la Marianne version IIIe République, telle qu'elle a pris place progressivement dans nos mairies depuis la fin du XIXe siècle.

Si d'aventure vous vouliez voir le tout premier exemplaire de cette République, « à usage municipal », il se trouve aujourd'hui encore à la mairie de Paris.

Présenté au Salon des artistes de 1879, ce buste en marbre blanc, œuvre de Jean Gautherin, fut acheté par les élus parisiens et reproduit sous forme de gravures distribuées dans les écoles. En la matière, Paris allait vraiment montrer l'exemple.

Mais les premiers édiles républicains seraient sans doute bien surpris de voir leurs successeurs actuels se demander qui d'Évelyne Thomas ou de Carla Bruni devait succéder à Lætitia Casta pour incarner la République ! Car à leur époque, une seule question comptait vraiment : de quoi Marianne serait-elle coiffée ?

Jusqu'en 1877, en effet, toute représentation du bonnet phrygien est interdite par arrêté préfectoral (en 1876, Mac-Mahon fait même démolir une statue à Dijon, uniquement à cause de son bonnet). Le séditieux couvre-chef a été l'emblème de la Révolution et de la Commune, épisodes sanglants que veut oublier la nouvelle République bourgeoise. On impose donc aux artistes, pour les sceaux et autres emblèmes officiels, une Marianne couronnée de fleurs, d'épis de blé, de lauriers, coiffée de casques ou de rayons solaires. On cherche à promouvoir l'idée d'une République apaisée, maternelle et rassurante. Tandis que chez les radicaux républicains, Marianne reste avant tout une fille du peuple, une guerrière échevelée et ardente, plus proche de la Liberté de Delacroix guidant le peuple sur les barricades que de la matrone replète dont le pouvoir politique fait alors la promotion.

En 1879, l'arrivée d'une majorité de gauche au Parlement entraîne la réhabilitation du bonnet phrygien, qui depuis n'a plus quitté la tête de Marianne.

Hélas, l'attachement aux symboles républicains gravés dans le marbre n'est plus de saison et seule semble compter désormais la plastique des modèles en chair et en os...

Bidoches

Les Lutéciens mangeaient de tout : du chien, du héron, du castor ! Sous le règne de Charles VI, certains d'entre eux mangèrent même (à leur corps défendant, cela va sans dire) le « pâté d'homme », cuisiné rue des Marmousels (13e arr.) par un barbier et son compère pâtissier, qui mirent de nombreuses victimes « à leur sauce », avant que leur art criminel d'accommoder les restes ne soit finalement découvert en 1367.

Mais s'il est une viande que les Parisiens répugnèrent longtemps à consommer, ce fut la viande de cheval, jugée malsaine. L'ordonnance de police de 1739 interdisant sa consommation fut renouvelée année après année jusqu'en 1811. C'est Larrey, le médecin de la Grande Armée sous Napoléon Ier, qui va lancer une grande campagne en faveur de la consommation de viande chevaline. Lui ne craint pas de dire tout haut ce que chacun sait déjà : les soldats en mangent pendant les campagnes !

En 1811, Napoléon crée donc un conseil de salubrité publique composé de sommités telles que Larrey, Parmentier ou Lacepède, chargé d'étudier la consommation de viande de cheval ; un temps, le cheval de réforme semble tenir la corde ; mais l'épidémie de choléra de 1832 le renvoie à nouveau au paddock !

Il faut attendre 1865 pour que le Grand Hôtel du boulevard des Capucines serve publiquement du cheval pour la première fois. Il propose à ses prestigieux invités un menu comportant, entre autres plats : du vermicelle au bouillon de cheval, puis du saucisson et de la charcuterie de cheval, du cheval bouilli, du cheval à la mode, du ragoût de cheval, du cheval aux champignons, et des pommes de terre sautées à la graisse de cheval.

Quant au désert, il s'agissait d'un « gâteau à la moelle de cheval » dont on espère pour Gustave Flaubert et Alexandre Dumas, présents ce jour-là, que le goût fut plus engageant que l'intitulé ! Le tout, arrosé sans surprise d'un château… Cheval Blanc.

Un an plus tard, une première boucherie chevaline ouvrait dans le quartier Saint-Marcel. D'autres suivirent dans le 15e arrondissement, où sera également construit en 1904 le dernier abattoir destiné aux chevaux. Près du parc Georges-Brassens, sous la halle où l'on marchanda jadis rosses et haridelles, sont désormais vendus des livres anciens. Plus loin, un buste d'Émile Decroix, « Propagateur de la viande de cheval », voisine avec le monument dédié « Aux morts de l'industrie chevaline ».

Malgré cette offensive « pro-hippophagique », le chien fera une timide réapparition sous forme de pâtés en 1870, durant le siège de la capitale ; triste époque où les Parisiens les plus modestes s'arrachaient des saucisses de rat ou de la tête d'âne, tandis que les plus riches découvraient le civet de kangourou et le chameau rôti, ou savouraient la chair ferme et rosée de Castor et Pollux, les éléphants du zoo de Vincennes.

Brèves de comptoir

Installé au Palais-Royal, *Le Véry* fut le premier restaurant parisien à prix fixe. Mais son nom est parvenu jusqu'à nous pour toute autre raison.

Juin 1815, au lendemain de Waterloo, Paris est occupé. Un officier prussien attablé au Véry réclame haut et fort un café « dans une tasse où aucun Français n'aurait jamais bu ! »

Le garçon de café lui présente donc le café demandé... dans un pot de chambre ! Sur ce, l'homme s'enfuit à toutes jambes.

1867, Exposition universelle. À *La Tour d'Argent*, Guillaume Ier, Bismarck, le tsar Alexandre II et son fils font un festin de roi, un repas si mémorable qu'aujourd'hui encore, la table est dressée comme si le repas avait eu lieu hier. Trois ans plus tard, les Prussiens occupent la capitale, l'heure n'est plus alors aux agapes, mais au rationnement : *La Tour d'Argent* conserve dans une petite boîte, une curieuse biscotte beigeâtre qui n'est autre qu'un croûton de « pain de siège » produit aux heures de famine.

Et la *Brasserie Lipp* à Saint-Germain-des-Prés ? Qui sait encore de nos jours que ce célèbre établissement fut fondé par un certain Lippmann ? Refusant de devenir allemand en 1870, il quitta l'Alsace et fonda au Quartier latin sa « brasserie des bords du Rhin ».

Enfin, notre *Maxim's* national ! Le café qui occupait avant lui la rue Royale (8e arr.) fut saccagé pour avoir pavoisé sa vitrine d'un drapeau allemand le 14 juillet 1890, alors que la France douloureuse avait perdu l'Alsace-Lorraine depuis quinze ans. Gambetta avait bien dit : « Y penser toujours, n'en parler jamais » ! On n'en parlait pas, mais malheur à celui qui afficherait trop ouvertement un sentiment pro-allemand. C'est en tout cas à la suite du saccage de ce bistro de la rue Royale que Maxime Gaillard, qui n'était alors que garçon de café, racheta l'endroit pour une bouchée de pain et y créa son propre établissement.

À quelques pas de chez *Maxim's,* sur la place de la Concorde, huit statues de femmes représentent des villes de France. C'est Juliette Drouet, rencontrée par Victor Hugo dans l'atelier du sculpteur Pradier dont elle était alors la maîtresse, qui aurait servi de modèle pour la statue figurant Strasbourg. Pendant un demi-siècle, cette statue sera fleurie chaque année par la Ligue des patriotes et revêtue d'un crêpe noir signifiant que la France portait toujours le deuil de sa province perdue.

Occupations successives, perte de l'Alsace-Lorraine, sentiment d'humiliation... lorsque l'on se trouve place de la Concorde ou devant chez *Maxim's*, quelques pas sur le même trottoir suffisent à mener vers leur sinistre conclusion : à l'abri d'une vitrine, une affiche placardée là depuis quatre-vingt-dix ans, un ordre de mobilisation générale pour le dimanche 2 août 1914.

Mesdemoiselles de Paris

Au 25, rue de Chazelles, dans le 17e arrondissement, se trouvait autrefois l'atelier de fonderie Gaget-Gauthier (anciens ateliers Monduit et Bichet) qui, après avoir accueilli en 1873 les débris de la colonne Vendôme renversée en 1871, fut pendant dix ans la résidence parisienne de la statue de la Liberté.

Le 24 octobre 1881, jour choisi en l'honneur de l'anniversaire de la reddition de Yorktown, l'ambassadeur américain Morton y reçut officiellement, au nom des États-Unis, le cadeau monumental qu'offrait la France à son pays : Morton posa donc solennellement le premier rivet fixant à son socle le pied gauche de la statue.

Pendant dix ans, la majestueuse créature allait être « la » grande attraction des Parisiens, plus nombreux sur le chantier à mesure que la jupe de cuivre grimpait le long de la structure en fer. Cette ouverture du chantier au public faisait d'ailleurs partie de la stratégie publicitaire du

Comité. Tout était bon, en effet, pour trouver les subsides nécessaires à la poursuite et à l'achèvement des travaux : souscription nationale à laquelle vont participer toutes les villes de France, dons privés, vente de photos et de reproductions en terre cuite, présentation d'un diorama de la statue de la Liberté qui fera 7 000 entrées en deux mois, organisation d'une loterie dont les 300 000 billets seront conçus d'après un dessin de Bartholdi (1878).

La souscription n'avait été officiellement close à l'hôtel Continental que le 7 juillet 1880, cinq ans après son ouverture, et par conséquent un an avant la pose du premier rivet. Désormais, on pouvait enfin être tout à fait certain que la construction du monument de Bartholdi irait jusqu'au bout. La Liberté était en route, l'année même où la République française, désormais bien installée, faisait du 14 juillet sa fête nationale. « Elle ne ressemble pas aux colosses de bronze si vantés et dont on raconte avec orgueil qu'ils ont été coulés avec des canons pris sur l'ennemi. Notre statue aura sur ces tristes monuments un grand avantage : c'est qu'elle sera faite de cuivre vierge, fruit du travail et de la paix » (Édouard de Laboulaye, président de l'Union franco-américaine).

Pendant toutes ces années passées rue de Chazelles, la Liberté recevra la visite de nombreuses sommités comme le général Grant, ex-président des États-Unis en visite privée à l'automne 1877. À l'été 1882, lorsque la robe arrivera à la hauteur du genou, Batholdi organisera un déjeuner de 25 couverts « dans la jambe droite de la Liberté ». La grande dame recevra également la visite du président Jules Grévy, en mai 1883, mais aussi celle de Victor Hugo accompagné de sa petite-fille Jeanne ; alors très âgé, le poète dut d'ailleurs s'arrêter au second palier. Dans l'assistance, quelqu'un aurait alors murmuré : « Deux géants se regardent. »

Si la « grande » Liberté offerte aux États-Unis par la France en 1886 est new-yorkaise, Paris a gardé ses petites sœurs : celle du pont de Grenelle est la plus grande statue de Paris avec ses 11 mètres de hauteur. À l'origine, c'est un américain, le Dr Evans, chirurgien-dentiste de l'empereur Napoléon III, fondateur du premier journal américain, l'*American Register*, qui suggéra à la communauté américaine de France d'offrir ce monument à sa terre d'accueil, à l'occasion de l'Exposition universelle de 1889. D'abord orientée dos à New York pour permettre au président Carnot de l'inaugurer depuis la terre ferme et non depuis la Seine à bord d'un bateau, elle sera « retournée » en 1937 pour faire face au continent américain. Cinquante ans plus tard, une copie grandeur nature de la flamme brandie par la Liberté américaine sera offerte au peuple français par des donateurs du monde entier et érigée à l'extrémité du pont de l'Alma. Depuis la tragique disparition de la princesse Diana en 1999, de nombreux promeneurs viennent se recueillir sur cette réplique de la flamme, devenue une sorte de mémorial à la princesse défunte.

Enfin, ajoutons que le musée des Techniques en possède une réplique, ainsi que le jardin du Luxembourg près duquel se trouvait l'atelier du sculpteur, rue Vavin.

Voilà pour les libertés à Paris ! Reste qu'il est amusant de penser que si Ferdinand de Lesseps n'avait pas torpillé auprès du vice-roi d'Égypte le premier projet de Bartholdi, la Liberté n'éclairerait pas le monde dans la baie de New York, mais c'est l'Égypte qui apporterait la lumière à l'Asie devant le canal de Suez.

La bataille du rail

Imagine-t-on aujourd'hui un tramway longeant la Seine du côté de la tour Eiffel ? C'est pourtant bien là que l'ingénieur français Loubat, créateur à New York des premiers tramways hippomobiles, fait une démonstration de son invention le 21 novembre 1853. L'engin séduit. Loubat est donc autorisé à exploiter une première ligne de l'« américain » entre Sèvres et Vincennes.

Très vite, plusieurs compagnies sont en concurrence, et il n'est pas rare d'assister à des courses façon *stock cars,* car ces machines déraillent facilement et passent du rail au pavé pour doubler leurs concurrentes !

Vers 1880, la Compagnie générale des omnibus, qui assure 80 % du trafic parisien, entretient la plus grande cavalerie du monde pour tracter ses véhicules : plus de 17 000 chevaux. Un usager satisfait, dans une lettre adressée au directeur de la CGO, se félicite de la qualité du service et envoie la somme de 500 francs pour les étrennes des cochers et chauffeurs. L'usager en question, c'est Victor Hugo !

Dans les années qui suivent, de nombreuses lignes sont créées. Paris et sa banlieue sont sillonnées par des machines de plus en plus perfectionnées : du cheval, à la vapeur, en passant par l'air comprimé avec la motrice « Mékarski » (dont on peut voir l'unique exemplaire au monde au musée de Saint-Mandé) et par l'électricité. Bientôt, les tramways circuleront dans tout Paris sauf sur les Champs-Élysées, l'avenue de l'Opéra et les Grands Boulevards où, jugés inesthétiques, ils seront toujours interdits.

Les années trente verront à la fois l'apogée et la fin des tramways désormais concurrencés par la voiture individuelle, le métro et les autobus. Le conseil municipal, dès 1929, décide de les supprimer définitivement dans Paris : on arrache les rails et on brûle les machines, car on est alors convaincu que ce mode de transport est définitivement obsolète ! Le 15 mai 1937, le dernier tramway effectue son ultime voyage sur la ligne Porte de Vincennes. La disparition du tramway est présentée comme une conquête du progrès. Soixante-dix ans plus tard, nos édiles pensent le contraire.

Depuis 2006 et l'inauguration du nouveau tramway sur les boulevards extérieurs, les Parisiens ont eu tout le temps de se faire leur opinion !

Les débuts difficiles du football parisien

C'est à la fin du XIXe siècle, dans les ports marchands de la Manche que le football fit ses tout premiers pas chez nous. De nombreux Anglais résidaient dans ces ports et leurs enfants voulaient s'adonner à leur jeu favori.

Dans d'autres coins du Nord de la France, ce seront non pas tant les professeurs de gymnastique que ceux d'anglais qui rapporteront de leurs voyages linguistiques outre-Manche règles du jeu et ballons.

En tout cas, c'est au Havre qu'est créé en 1872, par les membres de la colonie anglaise de cette ville, le premier club de football en France : le « Havre Athletic Club ».

Notez que cela se passait tout juste après la chute du Second Empire et de la guerre perdue contre la Prusse. À cette époque, il y a notamment dans la bourgeoisie française un mouvement très anglophile qui va favoriser l'introduction de toutes sortes de disciplines sportives (aviron, athlétisme). Mais ces premiers sportifs français sont recrutés parmi les meilleures familles du pays. La pratique du sport est alors perçue comme une forme de privilège, ce qui va enrayer la diffusion du football en France. En effet, le football professionnel apparaît en Angleterre en 1885 et les élites françaises y sont très opposées. Surtout, on craint qu'avec le professionnalisme ne se développent les paris, comme en Angleterre.

Il faudra donc patienter encore quelques années pour que naissent les premiers clubs parisiens (Standard AC et White-Rovers), créés à la fin des années 1880 par des Anglais ou par des étudiants français ayant vécu en Angleterre (Stade Français et International Athlétic Club).

Le premier match officiel de l'histoire du football français a lieu le 1er mars 1892 au bois de Boulogne, et oppose précisément deux de ces clubs : les White-Rovers qui l'emportent 10 à 1 contre l'International AC.

Le football sera longtemps boycotté par l'Union des sociétés françaises de sports athlétiques qui, elle-même, redoute les dérives du professionnalisme et les paris.

Elle n'a d'yeux que pour le rugby et le cyclisme, et va même jusqu'à interdire aux professeurs de gymnastique de faire jouer leurs élèves au ballon rond ! Devant tant d'hostilité, les clubs parisiens menacent en 1893 de se constituer en ligue. L'USFSA les intègre enfin, et le premier championnat organisé sous son égide a lieu en 1894. Constituée un an plus tard, la première « division un » de l'histoire du football français ne comprendra pas moins de neuf clubs parisiens ! Enfin, c'est également à Paris que naît la FIFA (Fédération internationale de football association) et, avec elle, l'équipe de France de football. Grâce à Robert Guérin, jeune journaliste au *Matin* et président de l'USFSA, les statuts de la FIFA sont adoptés rue Saint-Honoré en mai 1904, par sept pays fondateurs... dont l'Angleterre ne fait pas partie ! Messieurs les Anglais, pour une fois, nous avions tiré les premiers !

Poudre aux yeux

En 1867, le premier salon de beauté parisien ouvre ses portes sous le nom plein de promesses de *Rachel l'émailleuse.* Désormais, beaucoup de femmes se maquillent, ce qui jusqu'alors était réservé à une rare élite, poudres et fards coûtant fort cher.

Il arriva que l'on utilisa tant de poudre à perruque qu'un arrêté de police en date du 7 mars 1794 dut en interdire provisoirement l'usage. Paris, comme la France entière, était alors en pleine période de disette et les parfumeurs employaient pour cette fabrication une quantité bien trop importante de... farine de pomme de terre !

La poudre était également indispensable pour se farder ; car avoir le teint blanc, depuis le Moyen Âge, était considéré comme l'un des principaux critères de beauté.

Les femmes s'asphyxiaient la peau de jour comme de nuit avec des produits toxiques, tel le blanc de céruse qui ne sera remplacé qu'au XIXe siècle par les poudres de riz parfumées.

Dans ses *Récits d'un vieux parrain à son jeune filleul* (Maison Saint-Joseph, 1899), Charles Briffaut évoque certaine marquise parisienne à la beauté un peu décrépite : « Elle utilisait une sorte de badigeon à base d'ingrédients bleu, blanc, rouge. Un enduit tricolore. Sa toilette durait des heures. Un matin, je me présentai trop tôt à sa porte. Son domestique me renvoya brusquement par ces mots : "Madame ne reçoit pas... Madame sèche !" »

Injustice florale !

Installées dans le jardin du Luxembourg (6e arr.), les serres du Sénat existent depuis 1796, mais les orchidées n'y sont cultivées que depuis 1838.

La collection rassemble aujourd'hui plus de 10 000 pots appartenant à 150 genres, soit plus de 1 350 « cultivars », hybrides et espèces d'orchidées tropicales différentes, répondant, entre autres, aux doux noms de *Lycaste skinneri, Peristeria elata, Schomburgkia superbiens,* ou encore *Stenorrhynchus speciosus.*

D'après l'un des jardiniers, la plus vieille orchidée conservée dans ces serres serait un drageon, ou, pour ceux qui ne maîtrisent pas le vocabulaire de la botanique, le « rejeton » d'une orchidée de 1859. Malheureusement, on ne possède plus aucune archive concernant cette aïeule, de sorte que le titre de doyenne revient à la descendante d'une orchidée de 1880, plus récente donc, mais dont on connaît tous les détails du « pedigree ».

La culture des orchidées se fait sur « carré de couches », c'est-à-dire sur un mélange de feuilles ramassées à l'automne dans le jardin, et de fumier récupéré dans les casernes de la garde républicaine et les fermes équestres de la région parisienne. Car le fumier de cheval, il faut le savoir, possède un pouvoir calorifuge bien supérieur aux autres ! Par ailleurs, les jardiniers qui officient ici n'utilisent pas non plus n'importe quel terreau, mais fabriquent un terreau spécifique qualifié de « terreau national » !

Rien n'est trop beau pour les orchidées du Sénat qui sont de vraies stars, chouchoutées, délicatement pollinisées à la main et éclairées par des lampes à sodium. Pour favoriser une croissance harmonieuse de ces fragiles demoiselles, on ne leur fait écouter que de la musique classique ! À ce régime, il faudra parfois attendre quatre ans avant d'avoir la première fleur. Rien à voir, donc, avec les hortensias de la serre d'à côté, dont on force la pousse afin qu'ils aillent au plus vite agrémenter les réceptions des sénateurs. On le voit, les hortensias constituent ici une sorte de sous-prolétariat de la botanique, là où les orchidées occupent le haut du pavé et sont même classées « collection nationale » !

Pour le côté moins poétique de la chose, sachez que le sens même du mot « orchidée » est nettement moins joli que la fleur qu'il désigne, car il signifie : « testicule » en grec. Apprenez également que la nuit, les orchidées peuvent exhaler des odeurs très fortes pour attirer les insectes et les papillons ; ce sont souvent des odeurs un peu pharmaceutiques, mais l'une d'elles sent le munster !

Oubliant quelques instants ses précieuses orchidées, le chef jardinier se souvient que l'on conservait ici même, probablement depuis la fin du XIXe siècle, un pied de papyrus égyptien. Lorsqu'on s'est rendu compte, il y a de cela quelques années, que le papyrus égyptien était contaminé par une maladie similaire à celle qui depuis des années ronge nos platanes, c'est à partir de ce plan, conservé dans les serres du jardin du Luxembourg, que l'on a réimplanté le papyrus en Égypte !

Fleurs de peau

À la fin du XVIe siècle, Paris fut touchée par plusieurs épidémies de peste : celle de 1562 fit près de 70 000 morts dans la capitale. Elle fut suivie de deux autres, en 1596 et 1606, moins graves mais tout aussi préoccupantes. L'Hôtel-Dieu n'ayant pas suffi à accueillir tous les malades, Henri IV décida de faire bâtir une nouvelle maison de santé destinée à prendre en charge les pestiférés lors des épidémies à venir, ou, plus exactement, chargée de les mettre en quarantaine (édit du 17 mai 1607).

Le nouvel établissement prit le nom de « Saint-Louis », car ce roi (du moins le croyait-on à l'époque) était mort de la peste à Tunis en 1270, au cours de la huitième croisade.

C'est en ce même hôpital Saint-Louis créé pour les pestiférés qu'allait naître, près de trois siècles plus tard, la dermatologie française.

Après le Dr Devergie, qui fit réaliser des dessins destinés à aider les étudiants dans leur étude des affections dermatologiques, le Dr Lailler eut l'idée de reproduire les maladies de peau à l'aide de moulages de cire donnant une représentation en relief de ces affections.

Dans ce but, il rencontra un certain Gilles Baretta, fabricant de fruits en carton pour les vitrines des confiseurs, dans une échoppe du passage Jouffroy (9e arr.).

Baretta réalisa son premier moulage en 1867. En 1872, la collection comptait déjà 450 cires ; aujourd'hui, elle est, avec ses 4 850 cires, la plus importante collection au monde de cires dermatologiques !

Le musée actuel fut inauguré le 5 août 1889 dans le cadre du premier congrès international de dermatologie qui se tint précisément dans ses murs. Les moulages ont été utilisés dans l'enseignement de la dermatologie jusque dans les années soixante, la dernière cire ayant été fabriquée en 1958 : c'est la n° 3 662 dans la vitrine n° 22 ! Pour le reste, un vaste choix s'offre au visiteur : de la « luxation du testicule » au « *Xeroderma Pigmentorum* » ; et si le « *Molluscum Contagiosum* » a disparu de sa vitrine (fondu ?), la « Syphilide pustulo-crustacée » le remplacera avantageusement ! Entre le spectacle des organes monstrueusement gonflés par l'éléphantiasis ou filoriose lymphatique et celui de visages comme avalés de l'intérieur des victimes du tabès, stade ultime de la syphilis, la collection Baretta doit être l'un des rares musées parisiens que le visiteur sonorise lui-même de ses propres exclamations horrifiées !

Tiens, mais que font donc des pommes dans la vitrine n° 37 « Mycosis Fongoïde » ? Elles sont là pour rappeler le temps où Baretta, plutôt que les fleurs du mal, moulait encore des fruits appétissants.

Du panache !

Le 27 décembre 1897, le théâtre Saint-Martin présente pour la première fois au public *Cyrano de Bergerac* avec le grand Coquelin dans le rôle-titre. La direction du théâtre a longtemps hésité à monter cette « usine à gaz » à 5 décors et 45 rôles, imaginée par Rostand qui n'est alors qu'un tout jeune auteur de 29 ans ; aussi a-t-elle exigé de lui une garantie financière.

C'est une histoire vraie qui a inspiré au dramaturge la péripétie amoureuse de la pièce : à Luchon, où il se trouvait à l'été 1895, il a rencontré un jeune homme qui ne savait dire que « je vous aime » *ad nauseam* à la femme dont il était vainement épris ! Rostand lui enseigne le beau langage ainsi que le fera plus tard Cyrano afin d'aider Christian de Neuvilette à séduire Roxane.

La pièce fait un triomphe : les spectateurs trépignent, réclament l'auteur. Il n'y avait pas eu un tel succès dans ce théâtre depuis les pièces de Dumas plus de soixante ans avant, lorsque des spectateurs s'étaient partagé des morceaux de son habit comme reliques !

Parmi les premiers spectateurs, le ministre de l'Instruction publique, Alfred Rambaud, et le président du Conseil, Jules Méline. Leur enthousiasme est tel qu'après le IIIe acte, ils se rendent dans la loge de Coquelin pour lui annoncer qu'il serait fait chevalier de la Légion d'honneur trois jours plus tard lors de la promotion du 1er janvier.

Pendant un an, on va jouer tous les soirs à guichet fermé pour une recette jamais réalisée par aucune autre pièce ni par aucun théâtre. En quinze mois, il y aura 424 représentations à guichet fermé avec un seul jour de relâche, soit une recette de 2 598 848 francs de l'époque dont 10 % pour l'auteur ! De plus, le texte sera vendu à 150 000 exemplaires.

Le soir de la centième, on offrira des fleurs aux dames et des pâtisseries à tous les spectateurs en hommage à Ragueneau, le personnage de pâtissier mis sur la paille pour avoir trop généreusement échangé ses gâteaux contre des poèmes !

Pourquoi un tel succès ? Sans doute parce qu'ainsi que l'écrivit Gérard Bauer, de l'Académie Goncourt : « Cyrano réveillait des sentiments de générosité et d'héroïsme qui, chez les Français, ne dorment jamais que d'un demi-sommeil ! »

C'est en tout cas avec les droits de *Cyrano* que Rostand fera construire l'Arnaga, sa superbe maison surnommée parfois le « petit Versailles basque » à Cambo-les-Bains, près de Biarritz, une demeure qui abrite de nos jours le musée Edmond Rostand.

Le musée détient une importante collection d'ouvrages, de lettres et d'objets liés à la famille Rostand, mais aussi le *César* qui récompensa Gérard Depardieu pour son rôle dans *Cyrano*, distinction dont le comédien fit cadeau au musée en hommage à Edmond Rostand.

Quand on pense que l'un des meilleurs amis de Rostand lui avait suggéré, avant la première de *Cyrano*, de supprimer la tirade du nez dont il trouvait qu'elle faisait sombrer la pièce dans le ridicule !

Les JO du siècle

N'en déplaise aux Grecs qui en eurent la primeur dans l'Antiquité, les Jeux olympiques modernes sont nés à Paris en plein Quartier latin.

C'est en effet le 23 juin 1894, à la Sorbonne, qu'est fondé le Comité international des jeux olympiques. L'idée, nul ne l'ignore, est venue de Pierre de Frédy, baron de Coubertin.

Né rue Oudinot (7e arr.), le 1er janvier 1863, il a été élève au collège jésuite Saint-Ignace de la rue de Madrid (8e arr.). Reçu à Saint-Cyr, il a démissionné et s'est inscrit à l'École libre de sciences politiques. C'est un grand sportif pratiquant boxe, escrime, aviron et qui a été sept fois champion de France de tir au pistolet.

Ce sont ses séjours répétés en Angleterre et aux États-Unis qui lui ont inspiré l'idée de réformer le système éducatif français en donnant toute sa place au sport.

Le Comité de 1894 prend symboliquement pour président un philologue grec vivant à Paris, Démétrius Vikelas, et prévoit d'organiser les premiers jeux à Athènes. La postérité n'a guère retenu ce nom de Vikelas, premier président du CIO. C'était pourtant un personnage ! Il étudia toute sa vie, sans jamais obtenir de diplôme, dans les disciplines les plus variées : littérature, botanique, architecture et langues ; et, sans doute pour cette même raison, de retour dans son pays, il y multiplia les œuvres d'éducation populaire. La Grèce lui doit notamment un musée pour l'éducation, une école pour aveugles, un stand de tir scolaire et une école d'apprentissage pour les ouvriers. Au cours de son séjour en France, il s'attachera surtout à promouvoir la Grèce en Europe.

Quel rapport avec le sport, me direz-vous ? Aucun ! Sauf qu'en 1894, l'un de ses amis (Loannis Fokianos, instructeur en athlétisme) lui demanda de représenter le Club panhellénique de gymnastique au Congrès international athlétique de Paris.

Sur sa lancée, Vikelas s'inscrivit dans la commission qui planchait alors sur le projet de rétablissement des Jeux olympiques, et voici comment, à sa très grande surprise, le jour même où fut fondé le Comité international des jeux olympiques, Vikelas en fut nommé premier président.

Sans doute dut-il davantage sa nomination au fait d'être grec qu'à ses compétences en sport ; mais en effet, symboliquement, il était alors important de désigner un grec comme premier président du CIO. Les premiers Jeux olympiques « restaurés » ont donc lieu à Athènes en 1896.

Mais les seconds JO seront parisiens. Et là, catastrophe ! Car la ville est déjà accaparée par l'Exposition universelle de 1900. Pendant cinq mois, en une laborieuse mascarade vont donc se succéder compétitions de pêche à la ligne, boules, cerfs-volants, arbalètes, et même tir au canon ! Professionnels et amateurs cohabitent en dépit du règlement, tandis que les épreuves de natation se déroulent dans l'eau sale de la Seine. Les premières femmes font une timide apparition… au croquet, à la pêche, au ballon et dans les « épreuves scolaires » (sic !). Certes, les épreuves d'athlétisme qui se déroulent au bois de Boulogne trouvent un certain public. Mais on frôle l'émeute au cours de la rencontre France-Allemagne de rugby qui se tient au vélodrome de Vincennes. (L'Alsace-Lorraine est alors encore allemande !)

Les Jeux de 1900 ont donc bien failli sonner le glas de l'olympisme au lieu de sa renaissance.

Après la guerre de 1914, dans un souci de neutralité, le siège du CIO quitte Paris pour Lausanne.

Dommage ! On aurait pu admirer à Paris les chaussures de Carl Lewis ou l'équipement de Jean-Claude Killy !

Mon HLM

Le 18 juin 1888, la première habitation collective à petit loyer de la capitale fut inaugurée au 45, rue Jeanne-d'Arc, dans le 13e arrondissement. Financé par la Société philanthropique, cet immeuble existe toujours et n'a jamais perdu sa vocation sociale. Dans la foulée naissait en 1889 la société des HBM (habitations à bon marché), ancêtres de nos HLM.

Si les réformateurs sociaux de la fin du XIXe siècle voulaient mettre fin aux conditions de vie insalubres des plus pauvres, d'autres voyaient aussi dans la construction de logements ouvriers un moyen de regrouper ces populations aux pourtours de la capitale.

En d'autres temps, on pouvait sans être riche aspirer à plus « chic » et plus « central » : ainsi, quand Louis XV quitta le palais des Tuileries pour le « pied-à-terre versaillais » de son arrière-grand-père, il fut occupé pendant 67 ans par une foule bigarrée de Parisiens. « On cloisonna et on entresola les salons, on mit en place des tuyaux de poêle, on posa des escaliers ; le linge sécha aux fenêtres et des effluves de cuisine émanèrent d'un peu partout » (J. Hillairet).

Au milieu de voisins plus modestes, une certaine comtesse de Marsan occupa même si longtemps le pavillon Pomone que celui-ci finit par prendre son nom pour devenir le « pavillon Marsan ».

Et que dire de l'Élysée ? Avant d'héberger les grands de ce monde, le palais accueillit un temps de simples citoyens : de 1798 à 1805, il fut divisé en une quinzaine d'appartements dont l'un fut loué aux parents d'Alfred de Vigny, un autre à la veuve du maréchal de Richelieu. De sorte qu'au moment de son rachat par Murat en 1805, l'Élysée était plein comme un œuf.

« À louer, F_3 dans le palais de l'Élysée, beaux volumes, plein sud, jardinet, à voir d'urgence »... un rêve de Parisien !

Vox populi

Voulu par Napoléon III, l'Opéra de Paris, qui est aussi le plus grand théâtre d'Europe, fut la première commande officielle de l'histoire à faire l'objet d'un concours. Pas moins de 171 candidats s'en disputèrent le chantier. Du vainqueur, chacun connaît l'identité : Garnier, Charles de son prénom.

On sait moins qu'il était alors un quasi-inconnu âgé de 35 ans, petit, maigre, affligé d'un léger bégaiement, fils d'une dentellière et d'un fabricant de couscous (non pas la semoule, mais ces omnibus hippomobiles qui desservaient alors la ligne Sceaux-Place Saint-Michel !)

En somme, un jeune architecte vraiment moins charismatique que l'illustre Viollet-le-Duc pour lequel il avait travaillé quelque temps auparavant, mais dont le projet pour l'opéra fut retoqué. Alors, certes, Garnier a obtenu le prix de Rome, mais très difficilement ! De plus, il arrive à la villa Médicis la veille du siège de la ville par les troupes françaises !

Distingué, malgré tous ces handicaps, obtiendra-t-il pour autant un poste en rapport avec ses qualifications ? Pas du tout : il devient « sous-inspecteur aux travaux de rénovation de la tour Saint-Jacques ».

Enfin, le jour de l'inauguration de l'Opéra par le maréchal de Mac-Mahon, le 5 janvier 1875, Garnier, alors mal en cour, étant perçu comme l'architecte de l'Empereur déchu, n'est même pas invité et doit payer sa place !

À sa sortie, il est acclamé par la foule : ignoré des grands de ce monde, au moins le malchanceux créateur de l'Opéra fut-il ce jour-là salué par la voix du peuple !

La Marche turque

En 2004, on commémorait le bicentenaire du cimetière du Père-Lachaise. Créé par le préfet Frochot, il fut le premier cimetière laïc de la capitale et le premier de France à posséder à la fois un carré musulman et une mosquée.

Cet emplacement fut établi en novembre 1856 à la demande de Napoléon III qui répondait là à une sollicitation pressante de l'ambassade de l'Empire ottoman (actuelle Turquie). On sortait alors tout juste de la guerre de Crimée, engagée avec les Anglais pour empêcher les Russes de prendre le contrôle des détroits turcs. C'est durant ce conflit que nos zouaves traversèrent un petit fleuve nommé l'Alma pour aller assiéger la base navale russe de Sébastopol !

À l'époque, nous avions grand besoin du soutien de la « Sublime-Porte » (terme utilisé dans les chancelleries européennes pour désigner l'Empire turc ou la ville de Constantinople, gardienne des détroits). Et puisqu'en d'autres temps, Paris avait bien valu une messe, les Dardanelles pouvaient bien valoir un carré au Père-Lachaise !

Il s'agissait d'ailleurs davantage d'un enclos que d'un simple « carré » ouvert sur les autres tombes, car il avait été précisé par la Sublime-Porte que les défunts musulmans devaient être bien séparés des autres. Aussi, quand une loi de 1881 ordonna la destruction des clôtures de bois, l'Empire ottoman fit-il à nouveau pression pour obtenir le maintien d'une « séparation végétale » !

Cinquante années plus tard, la première mosquée de France, passablement délabrée, devait être restaurée : début des travaux prévu en… juillet 1914. Mauvaise pioche ! La Grande Guerre qui s'annonçait allait mettre un terme d'autant plus définitif au projet que, dans ce conflit, la Turquie était l'alliée de l'Allemagne. Il aurait fait beau voir que la France dépense le moindre centime dans la réfection d'un édifice appartenant à l'un de ses plus grands ennemis du moment. On le laissa donc se dégrader doucement, puis le peu qu'il en restait fut rasé.

Au lieu et place de cette mosquée se trouve de nos jours la chapelle abandonnée du général Trujillo, dictateur abattu en 1961 à Saint-Domingue par la CIA (enclos musulman, 85e division).

Aux alentours, quelques tombes musulmanes, la première tombe indienne est celle de Malka Kachwar, reine d'Oude, décédée à Paris en janvier 1858, alors qu'elle rentrait de Londres où elle était allée pour protester contre l'annexion de son petit royaume par l'Angleterre de la reine Victoria. Elle fut inhumée en grande pompe sous un petit mausolée de style indo-islamique. Non loin de sa tombe se trouve celle de Sayvid Ali Bin Hamud al-Busaîd, huitième sultan de Zanzibar mort en 1918 à l'âge de 34 ans, et celle en marbre noir en forme de pyramide du grand poète iranien Sadegh Hedayat qui mit fin à ses jours à Paris le 10 avril 1951, à l'âge de 51 ans. Curieusement, celui-ci fut inhumé dans l'enclos musulman alors qu'il s'était pourtant converti au bouddhisme !

Dans la série l'« Orient au Père-Lachaise », nous aurions pu signaler également la tombe du premier japonais inhumé ici : M. Nonaka Motoske, natif de Yokohama. Commerçant venu à Paris pour l'Exposition universelle de 1867, il descendait d'une grande famille de samouraïs. « Désolé, nous indique le gardien, mais ça ne va pas être possible en ce moment ! On ne visite pas ! La tombe est régulièrement taguée par les fans du rocker Jim Morrison enterré juste à côté ! »

« Porte-feuilles » ministériels

George Sand aurait aujourd'hui 207 ans ! Plus connue de nos jours comme la « bonne dame de Nohant », elle était pourtant une vraie Parisienne.

Sa première adresse fut le 46 de la rue Meslay dans le 3e arrondissement. C'est là qu'elle naît le 1er juillet 1804. Si ce premier domicile mérite d'être signalé, c'est que pas moins de 23 autres suivront dans Paris ! L'écrivain passa, en effet, sa vie à déménager. À l'époque, cela se faisait beaucoup : ainsi que nous en avons déjà fait état dans les présentes pages, son ami le peintre Delacroix ne quitta-t-il pas son domicile du moment, uniquement pour se rapprocher de l'église Saint-Sulpice où il allait être amené à travailler ?

George Sand exprimait des sentiments très contradictoires sur Paris. De l'un de ses livres à l'autre, on passe de « Mon bon Paris » à « Je l'avoue, je hais Paris ». Ce qu'elle aime, c'est avant tout la nature. Dans le *Paris guide*, ouvrage édité pour l'Exposition universelle de 1867, elle est l'auteur du chapitre intitulé « La rêverie à Paris ». Elle y décrit la flânerie dans les jardins parisiens, les serres, les pièces d'eau : « En vérité, je ne sais point de ville au monde où la rêverie ambulatoire soit plus agréable qu'à Paris. » Il est vrai qu'avec Chopin, Musset ou Balzac pour compagnons de promenade, il devait être plaisant de baguenauder à travers la capitale !

Vivant aujourd'hui, George Sand se serait sans nul doute associée à ces fêtes des jardins, tellement en vogue dans toutes les grandes villes. Dans le plus grand jardin privé de la capitale, celui de l'hôtel Matignon, elle aurait pu admirer les tilleuls et les platanes, mais probablement aussi les arbres des Premiers ministres. Depuis 1978, en effet, chacun d'eux fait planter « son » arbre. C'est Raymond Barre qui a inauguré cette tradition en plantant un érable à sucre ! Pierre Mauroy, pour sa part, fit le choix d'un chêne de Hongrie, Laurent Fabius d'un chêne des marais ; Michel Rocard choisit un copalme d'Amérique, tandis qu'Édith Cresson, histoire sans doute de placer nos finances publiques sous d'heureux auspices, retenait le ginkgo bilobé, plus connu sous le nom d'« arbre aux quarante écus ». Pierre Bérégovoy jeta son dévolu sur un tulipier de Virginie, Édouard Balladur sur un érable argenté. À cette liste déjà longue, il conviendra d'ajouter le *Cercidiphyllum* d'Alain Juppé, l'orme de Lutèce de

Lionel Jospin, le *Parrotia persica,* dit aussi « arbre de fer », de Jean-Pierre Raffarin, arbre au bois très dur, symbole de longévité. Et pour finir en beauté : le chêne pédonculé de Dominique de Villepin et le cornouiller des pagodes de François Fillon !

Ce petit monde politico-végétal cohabite harmonieusement. Mais, allez savoir pourquoi, aucun de nos Premiers ministres n'a retenu l'arbre par excellence du romantisme, celui que George Sand décrit dans l'un de ses livres, *Horace,* et se serait forcément attendue à trouver ici : un saule pleureur !

Paix des braves

Chef guerrier et savant religieux, sultan d'un éphémère État arabe d'Algérie, Abd el-Kader (1807-1883) combat près de quinze ans les troupes coloniales françaises avant de devoir rendre les armes le 23 décembre 1847.

À l'époque, cette reddition est vécue comme un événement considérable qui soulève l'enthousiasme en France. En effet, à partir de cette date, l'Algérie devient vraiment une colonie française.

Fils du roi Louis-Philippe, le duc d'Aumale, qui a alors succédé au général Bugeaud à la tête des troupes françaises, s'engage au nom de la France à permettre à Abd el-Kader de s'exiler en pays musulman. Lorsqu'il s'embarque pour Toulon avec sa famille, Abd el-Kader s'attend donc à ce que l'on prépare depuis Toulon son départ pour l'Orient, que ce soit la Turquie ou l'Égypte ?

Mais la France ne tiendra pas parole et l'émir vaincu ainsi que ses proches vont devoir passer cinq ans en captivité en France, où ils seront détenus successivement au fort de Lamalgue près de Toulon, au château de Pau, puis au château d'Amboise. Abd el-Kader est évidemment terriblement choqué par cette trahison, au point qu'à Toulon, il refuse toute sortie, sauf une visite à l'arsenal. Par ailleurs, il est détenu dans de très mauvaises conditions. Il partage sa chambre avec plusieurs des siens. Le froid est tel qu'il perd un fidèle, le chef de son infanterie, et un enfant de sa suite (asphyxié par un brasero). Durant toutes ces années, il va vivre très modestement avec les sommes allouées par la France et être gardé très sévèrement.

C'est Louis Napoléon Bonaparte, devenu président de la République, qui va mettre fin à cette captivité. Indigné par l'attitude de son pays, il vient annoncer sa libération au prisonnier au château d'Amboise le 16 octobre 1852, et l'invite à Paris. Entre les deux hommes, l'entente est immédiate : « D'autres m'ont renversé et emprisonné, mais Napoléon est le seul qui m'ait conquis ! » déclarera l'émir.

Abd el-Kader arrive à Paris le 28 octobre 1852. Une réception grandiose lui est réservée. Une foule nombreuse se presse pour le voir, attirée par l'immense renommée militaire du chef arabe qui fut le grand vainqueur de la Macta en 1835.

Le soir même de son arrivée, l'émir est invité à une soirée à L'Opéra. Louis Napoléon et lui-même se donnent l'accolade sous les applaudissements. L'émir sera reçu par le prince président et par les plus hauts dignitaires de l'État au château de Saint-Cloud, mais il reçoit aussi la visite d'anciens officiers et soldats qui avaient été ses prisonniers en Algérie et qui viennent le remercier pour la façon dont ils ont été traités.

Au cours de sa visite de la capitale, il se dira très surpris par le nombre d'églises. Il ne s'attendait pas à ce que le peuple français soit un peuple aussi religieux. Aux Invalides, il s'incline devant le tombeau de Napoléon, et il est autorisé à toucher son épée, puis, devant les étendards qui lui avaient été pris au cours des combats, Abd el-Kader déclare : « Ces temps-là appartiennent au passé ; je souhaite les oublier. Tâchons toujours de vivre dans le présent. »

Il partira finalement en Turquie, puis à Damas, en Syrie, où il ira enseigner la théologie, mais il reviendra à Paris pour assister à la proclamation de l'Empire et pour l'Exposition universelle de 1855.

En d'autres circonstances, il aura l'occasion de manifester son amitié pour la France. En juillet 1860, il va s'opposer au massacre des chrétiens à Damas : il convoque tous les Algériens de Damas, un millier d'hommes, et interpelle en ces termes le consul de France : « Tu m'as dit que partout où flotte le drapeau français, c'est la France ? – Oui, lui répond le consul. – Alors, prends ton drapeau et plante-le sur ma maison, pour qu'elle devienne la France. »

Après ces événements de Syrie, il reçoit les insignes de grand-croix de la Légion d'honneur.

L'Algérie le considère comme « le père de la nation ». En juillet 1966, quatre ans après son indépendance, elle organise en grande pompe le retour des cendres de l'émir et son inhumation au carré des héros du cimetière d'El-Alia à Alger. Dans la capitale algérienne, la statue d'Abd el-Kader occupe la place qu'occupait celle de Bugeaud du temps de l'Algérie française.

Côté français, non seulement Abd el-Kader est considéré comme un ami de la France, mais ses descendants ont versé leur sang pour elle : parmi eux, six ont fait Saint-Cyr ou l'École de l'air et l'un d'eux, Ali, est mort pour la France en 1949 pendant la guerre d'Indochine.

Enfin, à Paris, une place « Émir-Abdelkader (Ami de la France) » a été inaugurée le 16 novembre 2006 dans le 5e arrondissement par M. Bertrand Delanoë, en présence de l'ambassadeur d'Algérie en France et des descendants de l'émir.

Coulée verte

Au 5e étage du 3, place de la Sorbonne, dans le modeste deux-pièces d'un certain Louis Ménard, un jeune poète s'initie aux plaisirs illicites en goûtant pour la première fois de la « confiture verte », mixture à base de haschich, de sucre et d'aromates. Cette expérience extraordinairement intense lui a semblé décupler sa créativité. Aussi la renouvellera-t-il : il participera aux réunions du « Club des haschichins » organisées à l'hôtel Pimodan, 17, quai d'Anjou ; puis il essayera l'opium dont il décrira les *Enchantements et (les) tortures*. Ces *Paradis artificiels* s'ils nourrissent son œuvre poétique, le détruiront à petit feu jusqu'à sa mort prématurée à l'âge de 46 ans.

Place de la Sorbonne, il est dans le quartier de son enfance : né rue Hautefeuille, en bas du boulevard Saint-Michel, il a été baptisé à Saint-Sulpice. Élève au lycée Louis-le-Grand, il a habité la rue Saint-André-des-Arts, la rue du Bac, la rue des Saints-Pères. C'est au café *Tabourey* près de l'Odéon, à *La Closerie des lilas* ou dans les allées du Luxembourg qu'il compose ses œuvres de jeunesse. Il a 36 ans lorsque l'éditeur Poulet-Malassis publie le recueil de ses poèmes, ouvrage aussitôt condamné pour outrage à la morale publique. Un recueil dont le titre imaginé un soir dans un café du Palais-Royal par le romancier Hyppolite Babou, donnait quelque chose comme… *Les Fleurs du mal* !

Mineur et vacciné

Paris, le 6 juillet 1885. Mme Meister et Joseph, son fils de 9 ans, marchent à grands pas dans la rue d'Ulm (5e arr.). Ils viennent de loin, de Steige, petit village d'une Alsace alors allemande.

Deux jours plus tôt, le garçon a été mordu à neuf reprises par un chien enragé.

Louis Pasteur, chez qui sa mère le conduit, n'est pas médecin et n'a jusqu'à présent vacciné que des chiens ; mais, comme on pense l'enfant perdu, pourquoi ne pas tenter l'impossible ?

Le soir même, Joseph Meister est le premier être humain à recevoir le vaccin antirabique. Pour qu'il supporte mieux la douleur des piqûres, on détourne son attention en le gavant de sucre d'orge et en lui confiant un petit lapin. Comme le traitement doit durer une dizaine de jours, Pasteur achète un lit, des couvertures et loge mère et fils dans l'annexe de son laboratoire, située rue Vauquelin.

On connaît la suite ! Pasteur était déjà célèbre, ayant sauvé les brasseurs, les soyeux, les viticulteurs et inventé la pasteurisation. Mais, grâce à la guérison du petit Joseph Meister, sa gloire va devenir universelle. Dès que la nouvelle de cette guérison se répand, tous ceux qui avaient été mordus par des animaux enragés se précipitent rue d'Ulm… les locaux de l'École normale supérieure ne se prêtaient évidemment pas du tout à l'accueil de tant de visiteurs.

C'est donc à ce moment-là que naît l'idée de créer un institut de recherche, grâce à une souscription internationale. Dans le monde entier va naître un mouvement de générosité extraordinaire : des princes, des chefs d'État, mais aussi les donateurs les plus modestes vont avoir à cœur de participer.

Côté français : aussi bien Eugène Labiche, qu'un garçon de recette du Printemps, un facteur, un braconnier, tous les gendarmes d'une petite brigade du Jura, Mme Boucicaut, richissime propriétaire du Bon marché…

Côté étranger : le sultan de Turquie, l'empereur du Brésil Don Pedro II, grand humaniste, souverain très éclairé qui allait écouter les communications de Pasteur à l'Académie.

Le tsar Alexandre III, lui aussi, participe à la souscription, après la vaccination par Pasteur de Russes originaires de la région de Smolensk mordus par des loups. Tous furent sauvés sauf deux !

Le montant de la souscription atteindra deux millions de francs or, ce qui était une somme énorme pour l'époque.

L'Institut Pasteur est inauguré par le président de la République française Sadi Carnot, le 14 novembre 1888. Le matin même, la reine d'Italie était venue visiter les lieux répondant à l'appel du scientifique : « Prenez intérêt à ces demeures sacrées que l'on nomme laboratoires. Demandez qu'on les multiplie... ce sont les temples de l'avenir. »

Pasteur dirigera l'Institut jusqu'à sa mort le 28 septembre 1895. Sa femme ayant refusé qu'il soit inhumé au Panthéon, il y repose depuis dans un tombeau inspiré d'un mausolée de Ravenne, en Italie, tombeau sur lequel tous ses différents travaux sont représentés en mosaïque.

Dans la maison où le scientifique vécut ses sept dernières années, domicile transformé en musée en 1936, on peut voir son dernier microscope, ainsi qu'un fac-similé de la page du cahier de laboratoire où il relate la première vaccination antirabique (les originaux sont conservés à la Bibliothèque nationale). Avant sa rencontre avec Joseph Meister, Pasteur avait songé un moment à s'inoculer lui-même la rage afin d'établir l'efficacité de son vaccin. Il avait également écrit à ce sujet à l'empereur du Brésil, en lui proposant de tenter l'expérience sur des volontaires condamnés à mort. Proposition que l'empereur du Brésil refusa bien sûr catégoriquement.

À Paris, près de l'annexe Vauquelin où Pasteur logea les Meister et gardait des chiens enragés, un autre laboratoire allait bientôt capter à son tour l'attention du monde entier : celui où les Curie s'apprêtaient à découvrir le radium.

Quant à Joseph, devenu gardien de l'Institut, il se suicidera mystérieusement en 1940 à l'arrivée des Allemands. Se serait-il simplement souvenu alors qu'il était alsacien ?

Belles de nuit

La première fois que l'on vit à Paris une femme nue dans un spectacle, ce fut au Divan japonais, au n° 75 de la rue des Martyrs (18e arr.), dans les années 1880. On y jouait *Le Coucher de la mariée*. Baudelaire, qui quelques années auparavant fréquentait assidûment cet endroit alors baptisé *Le Divan des martyrs*, mourut trop tôt pour pouvoir admirer la dame et décrire en vers son effeuillage ; mais le peintre Toulouse-Lautrec, lui, eut tout loisir de l'admirer sous toutes les coutures. Et il faut bien parler de « coutures », car en réalité la dame n'était pas nue mais vêtue d'un maillot transparent, ce qui à l'époque suffisait amplement à faire scandale ! (Signe du destin peut-être, bien des années plus tard, *Le Divan japonais* sera transformé en cinéma pornographique !)

Scandale aussi, lorsque pour la première fois on pratiqua à *La Grande Chaumière*, boulevard du Montparnasse, des danses considérées comme très osées : la polka, en 1845, la « Robert Macaire », et plus tard le cancan. Non loin de là, *Le Select Bar*, ouvert en 1925, sera, lui, le premier établissement du quartier à rester ouvert toute la nuit et à accueillir au petit matin les derniers noctambules.

Le fêtard du Moyen Âge se rendait rue de « la pute y muse » (du Petit-Musc), celui des Lumières fréquentera la maison de la rue Saint-Sauveur dont Jeanne Bécu, future comtesse Du Barry, fut l'une des pensionnaires, ou encore le Palais-Royal, là même où un certain Bonaparte perdra son pucelage.

En 1946, la loi Marthe Richard interdit les maisons closes. Passant après-guerre devant le fameux *One Two Two* du 122, rue de Provence (9e arr.) fréquenté par Michel Simon, Raimu et tant d'autres, le cinéaste Yves Mirande écrivit aussitôt à celle qui en avait été la dernière patronne : « Chère Doriane, que c'est triste tous ces volets ouverts ! »

Maîtresse femme

Consacré aux grands avocats de notre histoire, le musée du Barreau de Paris, situé près de l'église Saint-Eustache, ne concerne que des hommes : Maîtres Chauveau-Lagarde, Gambetta, Poincaré, Laborit, Isorni, etc.

Petite visite guidée...

Après avoir découvert que les expressions « l'affaire est dans le sac », « avoir plus d'un tour dans son sac » ou « vider son sac » rappelaient un temps où l'on rangeait les documents de justice dans des sacs de jute une fois l'affaire classée, on fait face à une première vitrine.

Elle contient le document original de nomination de Chauveau-Lagarde, commis d'office avec Tronson du Coudray pour tenter de sauver la tête de Marie-Antoinette ;

ainsi que la serrure et la clef d'un cachot de la Conciergerie où fut incarcérée la « veuve Capet ».

Suit une vitrine entièrement consacrée à Gambetta, qui lui aussi était avocat : elle contient un coupe-papier en ivoire à ses armes offert par Édouard VII, sa canne et des lettres adressées à ses parents. Juste à côté, une robe attire notre attention : une robe mais toujours pas de femme ! Celle-ci n'est pas la robe d'avocat de Gambetta mais celle de Poincaré.

Les affaires célèbres se succèdent. Affaire Dreyfus, avec des instantanés d'audiences du procès d'Émile Zola, la péroraison de son avocat, un nommé Laborit, des extraits d'expertises graphologiques comparant les écritures d'Esterhazy et de Dreyfus, et un exemplaire original du célèbre article de l'*Aurore* intitulé : « J'accuse » !

Grand procès suivant : celui du maréchal Pétain. Nous avons là des extraits des plaidoiries d'Isorni à son procès. Une pétition figure également dans la vitrine : elle est signée Paul Valéry, Mauriac, Georges Duhamel, Camus, Paul Claudel, Colette, Honegger, et elle est adressée au Général de Gaulle pour obtenir la grâce de Brasillach. Elle rappelle que le père de Brasillach était mort pour la patrie le 13 novembre 1914. « La République, c'est d'abord le droit de ne pas être républicain » ; voilà la phrase que Maître Isorni écrit sur la cote de sa plaidoirie pour Brasillach dont il fut également l'avocat. La même vitrine contient l'une des dernières lettres de Pétain écrite à l'île d'Yeu en juin 1949 (il meurt en 1951).

Au milieu des objets personnels et autres extraits de plaidoiries – ou « péroraisons » – de ces ténors du barreau, le souvenir d'une femme est pourtant enfin évoqué. Il s'agit de Jeanne Chauvin (1862-1926), première femme à avoir pu plaider comme avocate. Ayant suivi ses études de droit à Paris de 1884 à 1892, elle se présenta en 1897 devant la cour d'appel pour prêter serment. Seule une licence est alors requise, or elle est déjà docteur en droit. Elle essuie un refus, car la loi exclut les femmes d'un exercice jugé « viril » par excellence. Un dicton de la profession l'exprime assez bien qui prétend que « Robe sur robe ne vaut ! »

La presse s'empare du dossier : « Ce n'est qu'une femme, et cette femme sera peut-être un avocat. Et pourquoi non ? », « La beauté féminine fait place à une espèce de virilité sympathique » (*Le Monde Illustré* du 30 octobre 1897). On le voit, pour le journaliste auteur de cet article, ce serait donc la fonction qui crée l'organe ?

Devant tant d'immobilisme, Jeanne Chauvin en appellera à Poincaré qui fera modifier la loi. Elle-même prêtera serment le 1er décembre 1900, et sera notamment à l'origine de la loi de 1907 permettant aux femmes de disposer librement de leur salaire.

Signe des temps, s'il y a un peu plus d'un siècle Jeanne Chauvin ne parvenait pas à être acceptée comme avocate, de nos jours, 73 % des avocats sont des femmes ce qui fait 19 femmes pour 26 avocats !

Un dernier petit tour dans ce passionnant musée du Barreau...

En cherchant bien, on dénichera finalement une deuxième « dame » dans le musée : au jeu de l'oie de l'affaire Dreyfus dont les pions sont des boutons de guêtres, si l'on tombe sur un soldat on retourne à la case départ. Le gagnant est le premier qui atteindra « la Vérité », représentée sous les traits d'une ravissante femme… nue !

« *Voix d'or* »

Pour en finir avec la vie après sa démission de la Comédie-Française où elle s'était produite pour la première fois le 11 août 1862 dans une scène d'Iphigénie, elle avala un flacon d'encre.

Quand elle jouait les poitrinaires, elle se piquait les gencives avec une épingle et crachait du sang sur son mouchoir pour faire plus vrai. On a pu la traiter de « grosse éponge sur un bâton », mais elle fut assez troublante pour avoir d'innombrables amants dont un prince belge, le prince de Ligne, dont elle eut son unique enfant, Maurice. Elle fréquenta Dumas, Hugo, Oscar Wilde ou le pacha d'Égypte. Née rue de l'École-de-Médecine, elle habita la rue Auber (9e arr.), la rue Fortuny dans la plaine Monceau et le boulevard Pereire (17e arr.). On a dit qu'elle n'eut de relations fidèles qu'avec ses créanciers ; c'est faux, elle fut aussi fidèle à ses chiens, aux tortues Chrysagène et Zerbinet, au perroquet Bizibouzou et à son crocodile Aligaga, mort d'une indigestion de champagne ! Fascinée par la mort (ne meurt-elle pas 3 000 fois en Dame aux camélias ?), elle dort dans un cercueil en bois de rose capitonné de satin blanc et va même jusqu'à louer un appartement rue de la Roquette (11e arr.), pour assister à l'exécution de l'anarchiste Vaillant en 1894. Elle fait une tournée triomphale en Amérique et au Brésil et interprète, à l'âge de 56 ans, le rôle d'un jeune homme qui en a 20. Amputée d'une jambe à 70 ans, elle jouera « Quand même » puisque telle était la devise de... Sarah Bernhardt !

École des femmes

Lorsque Victoire Daubié voulut se présenter au baccalauréat en 1861, sa candidature « fut jugée outrecuidante et susceptible de provoquer un scandale ». Soutenue par Eugénie de Montijo, épouse de Napoléon III qu'elle avait su rallier à sa cause, Victoire fut cependant la première femme bachelière : elle obtint son bachot à l'âge de 37 ans !

Vingt ans plus tard, la loi Camille Sée du 21 décembre 1880 mettait un terme au quasi-monopole de l'église catholique en matière d'éducation féminine, en autorisant enfin la création de lycées de jeunes filles. À Paris, le premier d'entre eux fut le lycée Fénelon, à l'angle des rues Saint-André-des-Arts et de l'Éperon dans le 6e arrondissement, où la première rentrée scolaire se fit le 15 octobre 1883. (Alors que Montpellier, Rouen, Nantes et Besançon avaient déjà leur lycée de jeunes filles depuis un an.)

Pourquoi ce choix du Quartier latin ? Le recteur d'académie avait exigé cette implantation proche de la Sorbonne pour bien marquer la dignité de cet établissement d'un « genre » nouveau.

Dès l'annonce de la création d'un lycée de jeunes filles à Paris, les candidates se pressent au portillon ; les places ne sont pas nombreuses et après l'ouverture de Fénelon, il faudra attendre quatre ans pour que soit créé un nouveau lycée de jeunes filles (le lycée Racine, sur la rive droite).

Selon les termes de l'historien Fustel de Coulanges, l'idée consistait à « créer une éducation de filles et non pas à donner aux filles une éducation de garçons ».

Les 177 pionnières qui entrent à Fénelon le 15 octobre 1883 vont donc y recevoir un enseignement adapté à leur sexe : la part des sciences est réduite, celle du français augmentée, il n'y a ni philosophie, ni langues anciennes, mais des cours d'hygiène et d'économie domestique associés aux arts d'agrément supposés mettre la femme en valeur (dessin, musique et chant). Défendant sa loi devant l'Assemblée nationale en février 1879, Camille Sée avait déclaré : « Nous ne voulons pas former des savantes mais des mères de famille et des femmes de ménage ». Entre 1890 et 1900, plus du quart des reçues à l'agrégation de sciences seront des « femmes de ménage » anciennes élèves à Fénelon !

Pierres précieuses

Nous venons de voir que l'impératrice Eugénie de Montijo intervint pour que Victoire Daubié puisse passer son bac ; en d'autres circonstances elle se montra tout aussi généreuse et désintéressée.

À l'occasion de son mariage avec Napoléon III, en janvier 1853, la jeune impératrice refusa le somptueux cadeau de mariage que souhaitait lui faire la ville de Paris. Il s'agissait d'une magnifique parure de diamants d'une valeur de 600 000 francs or. L'impératrice refusa le collier et demanda à ce que cet argent soit employé pour créer un « établissement d'éducation gratuite pour les jeunes filles pauvres ». Au moment de son mariage, elle n'est impératrice que depuis deux ans et cherche avant tout à donner une bonne image d'elle-même. Elle a en tête l'affaire du collier qui ruina la réputation de Marie-Antoinette et ne veut pas connaître la même disgrâce. L'établissement sera édifié sur l'emplacement d'un ancien marché au fourrage dans le Faubourg-Saint-Antoine.

Mais l'histoire ne s'arrête pas là : en hommage à l'action généreuse d'Eugénie, l'architecte Hittorf, chargé des travaux, va donner au bâtiment la forme d'un collier. Cet établissement, inauguré le 28 décembre 1856, prendra le nom de maison Eugène-Napoléon, en l'honneur du jeune prince impérial né la même année.

Beaux restes

Le palais des Tuileries fut le siège du pouvoir de 1789 à 1870. Après l'incendie qui en détruisit l'essentiel pendant la Commune, Jules Ferry, qui était alors ministre de l'Instruction publique et des Beaux-arts, s'était engagé devant le Parlement, au nom du gouvernement, à le reconstruire.

Le temps passa.

On attendit plus de dix ans pour déblayer les restes calcinés des Tuileries, pour céder une grande partie de ces restes aux Pozzo Di Borgo, ravis de bâtir leur château de la Punta qui domine la baie d'Ajaccio avec des pierres dont les Bonaparte avaient été chassés, et pour planter dans des coins de jardins publics quelques-unes de leurs colonnes noircies. Mais que sont devenues au juste toutes les pièces détachées de l'ancien palais ?

Pour les besoins de son *Dictionnaire historique des rues de Paris*, Jacques Hillairet a suivi la piste de certains d'entre eux ; il cite la grille de la Cour d'honneur partie vers le château des Esterhazy en Europe centrale, les marbres achetés par le journal *Le Figaro* pour les faire débiter en presse-papiers offerts à ses abonnés, les colonnes récupérées par le couturier Worth pour sa villa de Marly.

L'État lui-même acheta des vestiges : on en trouve encore de nos jours dans le jardin des Tuileries, dans les jardins du palais du Luxembourg et de Chaillot, dans la cour des Beaux-arts. Le fronton à horloge du palais et quelques colonnes se trouvent dans le square Georges-Caïn, derrière le musée Carnavalet. Chose étrange, mais peut-être s'agit-il là simplement d'un acte manqué lié à ce souvenir douloureux de l'histoire de Paris, dans aucun des lieux où ils se trouvent maintenant la provenance de ces « beaux restes » n'est indiquée.

Dans les années qui suivirent la Commune, se développa un important « tourisme des ruines » : des Anglais venaient spécialement à Paris pour en visiter les restes calcinés de certains édifices. La Cour des comptes qui, elle aussi, avait brûlé et ne se trouvait pas encore rue Cambon mais quai d'Orsay, près de l'hôtel de Salm, était transformée en véritable forêt vierge peuplée d'oiseaux, d'arbres, de lianes et d'orties. On fouillait et l'on rapportait ce qui pouvait l'être. C'est ainsi que, dans les jours qui suivirent l'incendie des Tuileries, Clara Jérôme, la grand-mère de Winston Churchill qui habitait alors boulevard Haussmann, se rendit dans les ruines des Tuileries et aurait rapporté chez elle plusieurs pièces du service de table de Napoléon III.

Finalement, Jules Ferry ne tint pas parole. Ce qu'il restait des Tuileries fut rasé et jamais on ne devait reconstruire l'ancien palais.

Pourtant, aujourd'hui encore, des Parisiens nostalgiques militent pour sa reconstruction au sein d'une association nommée Comité national pour la reconstruction des Tuileries. Les plans du palais des Tuileries ayant été conservés, il n'y aurait rien de plus simple que de le rebâtir à l'identique. Le CNRT estime que l'espace actuel est dénaturé et affaibli par la déperdition que constitue ce grand vide de 266 mètres de large. Son but est de rassembler ce qui est épars. « La restitution des Tuileries serait un acte de réconciliation nationale » et « le financement de cette construction ne pèserait pas sur le budget de l'État et se fonderait principalement sur le mécénat et une souscription nationale ».

Une petite pièce pour reconstruire le palais des Tuileries ? À votre bon cœur, m'sieurs dames !

Sous les pavés !

Le 19 juillet 1900, les trois voitures en bois de la première ligne du métro parisien (Porte Maillot-Porte de Vincennes) s'élançaient sous terre à 30 kilomètres heure.

On parlait du métro depuis 1880 sans être parvenu à décider qui, de la ville ou de l'État, financerait quoi. Finalement, le sentiment national pesa lourd dans le démarrage du projet : Londres et New York n'avaient-elles pas déjà leur métro ? Le nôtre devrait donc impérativement fonctionner pour l'Exposition universelle de 1900.

L'histoire du métro regorge d'anecdotes : en 1910, la Seine monta de six mètres en dix jours, de sorte que toutes les stations se trouvèrent inondées.

Dans les jours qui suivirent la mobilisation générale du 2 septembre 1939, le métro fonctionna 24 heures sur 24 pendant douze jours pour faire face à l'arrivée des troupes et à l'évacuation des Parisiens ; et sous l'Occupation, les Allemands transformèrent la station Place des Fêtes en fabrique de pièces d'avion.

Depuis, à côté des progrès réalisés en matière de bruit ou de freinage, l'usager s'est surtout félicité de l'apparition du premier tapis roulant (Châtelet 1964) ou de la carte orange (1975).

En 68, au moment même où les étudiants rêvaient de retrouver « sous les pavés la plage », la RATP réglementait l'accès au sous-sol en installant les premiers… tourniquets !

Entente canaille

Lorsque pour la première fois, le roi Édouard VII d'Angleterre vient à Paris en visite officielle, le 1er mai 1903, il est déjà un vieil habitué de la capitale. Il la connaît même bien mieux que toutes les « huiles » du gouvernement français – Loubet, Delcassé et autres Fallières – venues l'accueillir place Dauphine.

Quand il n'était que prince de Galles, il quittait dès que possible Albion pour Paname. À Buckingham, il était tenu à l'écart : alors qu'il avait déjà plus de 40 ans, la reine Victoria, le traitait comme s'il n'était encore qu'un « gamin » et refusait de lui communiquer les dépêches du Foreign Office !

Dès qu'il le peut, Édouard traverse donc la Manche et se rend à Paris. Là, celui que l'on surnomme affectueusement « le vieux jeune homme » se sent enfin libre. À lui les soupers fins chez *Maxim's*, les alcôves du Café Anglais. À lui les petites femmes, les cocottes des *Variétés* et des *Folies Bergères*. Des dames les plus huppées, comme la princesse de Chimay et Laure de Sade, aux filles du peuple les mieux chaloupées : Mistinguett, fille d'un fabricant de matelas, la « Goulue » et « Grille d'Egout » brûleuses de planches du *Moulin Rouge*, toutes sont ses amies. Dans une des maisons closes de la Capitale on a même fait réaliser à l'usage exclusif du monarque un « fauteuil Édouard VII » spécialement adapté aux prouesses galantes d'un monarque gagné par l'embonpoint ! Au registre « belles horizontales », Édouard VII va même se consumer pour la même femme que son propre neveu Guillaume II. Tous deux courtiseront la fameuse « Belle Otero », qui aimait à dire avec esprit que « La fortune vient en dormant... Mais pas toute seule ».

Édouard VII fréquente aussi assidûment les théâtres et les comédiennes : à tel point qu'il lui est même arrivé de jouer au débotté les « utilités » dans les pièces de théâtre de ses amies. Un soir, il interprétera le rôle du mari mort dans *Fedora*, un mélodrame de Victorien Sardou dont le rôle principal est tenu par Sarah Bernhardt.

Ce 1er mai 1903 donc, pour son premier voyage officiel en tant que roi d'Angleterre, 100 000 personnes se déplacent pour le voir. Mais les 101 coups de canons tirés depuis le mont Valérien ne suffisent pas à étouffer les huées des spectateurs. Il faut dire que la France et l'Angleterre ont quelques gros cailloux dans leur soulier commun : déjà en 1893, un conflit armé a failli éclater entre les deux pays à propos du Siam ; en 1899, le vice-président de la Chambre ne déclarait-il pas à la tribune de l'Assemblée nationale : « Messieurs, la guerre avec l'Angleterre est inévitable ! » À Berlin, on guettait l'étincelle avec impatience : cette étincelle, cela aurait pu être Fachoda ? La flotte anglaise mobilise, les Français aussi (et l'ambassadeur d'Allemagne se réjouit en constatant que Fachoda a bien fait oublier l'Alsace-Lorraine). La tension est telle entre France et Angleterre que la souveraine britannique doit renoncer à son séjour annuel sur la Côte d'Azur. Fachoda a été la goutte d'eau qui a fait déborder le vase. Et depuis, on bat froid à tout ce qui est anglais. Avoir dû renoncer à ce coin du Haut-Nil où nous étions arrivés les premiers, la potion fut par trop amère ! Aussi, la foule est-elle plutôt hostile et la presse se déchaîne-t-elle : sur la première page du journal *La Patrie*, s'étale un Édouard VII ventripotent entouré des ombres de Jeanne d'Arc, du connétable de Richemont, du président Kruger (l'Angleterre est alors en pleine guerre des Boers) et du capitaine Marchand.

Mais cinq ans ont passé depuis ces événements. En trois jours, Édouard VII va venir à bout des plus virulents anglophobes et recevra, au moment du départ, une formidable ovation. Entre deux toasts officiels, on va aussi parler de choses sérieuses : si l'Angleterre renonce à ses ambitions sur le Maroc, la France en fera-t-elle autant avec l'Égypte ?

La réponse, ce sera la signature le 8 avril 1904 de l'Entente Cordiale.

Un traité qui doit beaucoup à l'esprit canaille d'un monarque blanchi sous le harnais, amateur de cigares et de « french cancan ». Quant à Fachoda, pour éviter définitivement les sujets qui fâchent, le lieu fut très diplomatiquement rebaptisé Kodok !

La une de L'Huma

À la Belle Époque, Paris comptait près de 70 quotidiens. Difficile donc, pour un nouveau journal de se faire une place.

Le lundi 18 avril 1904 paraît pourtant le premier numéro de *L'Humanité*, « journal socialiste quotidien », quatre pages à cinq centimes, lancé par Jaurès et plusieurs de ses amis parmi lesquels Levy-Bruhl, Herr, Blum et Francis de Pressensé, président de la Ligue des Droits de l'Homme.

La rédaction s'installe 110, rue de Richelieu dans le quartier de la presse, du côté du boulevard Bonne-Nouvelle, tandis que le journal est imprimé tout près, rue Montmartre.

L'« Huma » des débuts est donc un journal parisien. Si parisien d'ailleurs qu'il lui en sera fait reproche : la rédaction compte huit agrégés dont sept normaliens. Aristide Briand se moquera avec esprit de cette profusion d'intellectuels dans la phrase restée célèbre : « Ce n'est pas l'Humanité, ce sont les humanités ! » La présence dans l'équipe d'Anatole France, Jules Renard, Tristan Bernard et Octave Mirbeau justifiait la boutade. D'ailleurs, en 1904, le journal qui se veut universel va même publier en première page les résultats de l'agrégation !

Sa diffusion souffrira quelque temps de ce ciblage un peu trop « intello », mais le premier numéro qui titre sur les objectifs du journal, la guerre russo-japonaise et la crise textile, sera néanmoins un succès : d'après Jules Renard, 138 000 exemplaires furent vendus sur 140 000.

En 1908, *L'Humanité* déménage pour la rue du Croissant (2e arr.) : Jaurès en sortait pour aller dîner le jour où il fut assassiné. De nos jours, devant le restaurant *Le Croissant*, 146, rue Montmartre, une plaque rappelle le drame. À l'intérieur on peut voir une table contemporaine de l'assassinat, et dans une vitrine, un buste, des photos, et l'une des deux balles qui le 1er août 1914 vinrent frapper mortellement le grand homme.

Allumez le feu

Lors du défilé de la victoire du 14 juillet 1919, les troupes alliées passèrent « sous » l'Arc de Triomphe, car ce n'est que le 11 novembre 1920 que le soldat inconnu fut inhumé sous la voûte centrale de l'Arc, d'abord dans une chapelle ardente puis, le 28 janvier 1921, dans son tombeau définitif. Dans quelles conditions ce soldat avait-il été choisi plutôt qu'un autre ? En fait, les commandants des huit secteurs militaires où s'étaient déroulés les combats (Artois, Somme, Île-de-France, Chemin des Dames, Champagne, Lorraine, Verdun et Flandres) avaient été priés de faire procéder à l'exhumation, dans un endroit qui resterait secret, du corps d'un soldat dont la nationalité française était certaine, mais dont l'identité personnelle n'avait pu être établie.

Le 10 novembre 1920, les huit cercueils recouverts de drapeaux tricolores furent disposés dans l'une des casemates de la citadelle souterraine de Verdun. Là, en présence d'André Maginot, alors ministre des Pensions, le soldat Auguste Thin, du 132e régiment d'infanterie, fils d'un combattant disparu pendant la guerre, désigna par le dépôt d'un bouquet de fleurs cueillies sur les champs de bataille de Verdun, celui des huit cercueils qui serait transporté à Paris le soir même.

Par la suite, on a interrogé le soldat Thin sur la façon dont il avait choisi le cercueil ; voilà ce qu'il déclara : « Il me vint une pensée simple. J'appartiens au 6e corps. En additionnant les chiffres de mon régiment, le 132e, c'est également le chiffre 6 que je retiens. Ma décision est prise : ce sera le 6e cercueil que je rencontrerai. »

Jusqu'en 1923, les passants vont pouvoir aller et venir sur la dalle froide d'un caveau où rien n'attire l'attention. Pour que le soldat qui repose en ce lieu ne soit pas oublié, le journaliste et poète Gabriel Boissy va suggérer de symboliser par une flamme éternelle le sacrifice des morts de 1914-1918 : « Je voudrais que l'on vît sur cette tombe quasi-abandonnée, quasi-oubliée, brûler une flamme vivante, un feu qui soit la palpitation, la présence de son âme, qui brûle comme un perpétuel souvenir de chacun d'entre nous, du pays tout entier… »

C'est le ferronnier Edgar Brandt qui réalisa le projet de l'architecte Henri Favier : la flamme surgit de la gueule d'un canon braqué vers le ciel ; elle est encastrée au centre d'une rosace de bronze, sorte de bouclier renversé dont la surface ciselée est constituée par des épées formant une étoile.

Un glaive permet d'actionner le dispositif faisant jaillir la flamme avec plus de force. Elle jaillira pour la première fois le 11 novembre 1923, allumée par André Maginot, devenu entre-temps ministre de la Guerre.

Depuis lors, tous les jours de l'année à 18 h 30, sous la houlette du Comité de la flamme, une délégation d'anciens combattants procède à son « ravivage ». Cette cérémonie simple et grandiose se déroule dans le plus grand silence, car aucun discours ne doit être prononcé devant la tombe du soldat inconnu. Le premier gardien de la flamme fut le brigadier Marcel Gaudin gravement blessé au genou en 1915, il conservera ce poste pendant trente ans !

Jamais la flamme au soldat inconnu ne s'est éteinte, pas même le 14 juin 1940, à l'entrée des Allemands dans Paris ; ce fut même la seule commémoration nationale qu'ils laissèrent se dérouler quotidiennement sous l'Occupation.

De nos jours, il reste près de 1 000 associations d'anciens combattants qui se relaient quotidiennement pour le ravivage.

Aux morts d'hier honorés sous l'Arc, nous devons la paix dont nous jouissons aujourd'hui et le privilège de voir de plus en plus souvent le glaive mis entre les mains de représentants de la Croix-Rouge, de pompiers et parfois même, d'enfants.

Good Bye Lénine !

Il circulait dans Paris à vélo, fréquentait le musée Carnavalet et le musée Grévin, achetait ses livres sur les quais et travaillait à la Bibliothèque nationale sur la Révolution française et la Commune.

Cet homme studieux n'était autre que Vladimir Ilitch Oulianov dit Lénine, né à Simbirsk le 22 avril 1870, mort à Gorki-Leninskie le 21 janvier 1924.

Entre 1895 et 1914, il séjourna sept fois à Paris. Sa première visite date de juin 1895 ; il vient pour prendre contact avec les représentants du mouvement ouvrier et rencontre Paul Lafargue, gendre de Karl Marx.

Première impression : il trouve les Parisiens moins guindés et moins puritains que les Pétersbourgeois.

En juillet 1909, Lénine s'installe au 4, rue Marie-Rose (14e arr.) : il habitera là trois ans avec sa compagne Nadejda Kroupskaïa et la mère de celle-ci dans un petit appartement de 48 mètres carrés.

Bientôt, l'appartement devient l'état-major du parti bolchevique, tandis que *Prolétari*, le journal dont Lénine est rédacteur, s'installe à deux pas, rue d'Orléans. À ses heures perdues, le camarade Lénine aime se promener dans le parc Montsouris, tout proche.

Dans les années cinquante, le PCF achète cet appartement pour en faire un musée Lénine, conçu en étroite concertation avec son équivalent moscovite : pas un livre ni un meuble qui n'ait reçu l'aval de la « maison mère ».

Il est inauguré le 27 avril 1955 et recevra de prestigieux visiteurs : de Youri Gagarine à Gorbatchev en passant par Brejnev.

Mais à partir de 2002, le 2e étage gauche du 4, rue Marie-Rose ne reçoit plus personne : le musée est fermé, victime, sur la forme, d'un dégât des eaux, sur le fond, d'interrogations quant à la façon de rénover une exposition qui n'a pas été mise à jour depuis les années soixante.

Il est désormais inutile de se creuser les méninges à ce sujet, la maison de la rue Marie-Rose ayant été vendue en 2007.

Un musée fermé puis vendu, une plaque commémorative décrochée et perdue, autant de signes d'un léninisme relégué aux poubelles de l'histoire. Le regard de Lénine sur notre capitale conserve en revanche toute son actualité : « Paris est une ville où il est difficile de vivre avec des moyens modestes et très fatigante. »

Actor's studio

Des spectateurs stupéfaits tombant à la renverse : c'est l'image d'Épinal de la première projection payante de cinématographe, le 2 décembre 1895, au sous-sol du *Grand Café*, boulevard des Capucines (actuel hôtel Scribe).

En fait, il y a ce jour-là plusieurs séances, dont une réservée aux professionnels du spectacle : le patron des *Folies Bergères*, celui du musée Grévin et un certain Georges Méliès, alors directeur du théâtre Robert-Houdin, sont de ceux-là. Lumière ayant refusé de vendre son invention, Méliès fabrique une caméra à partir d'une machine anglaise rebaptisée « kinétograph » et projette ses propres films à partir du mois d'avril 1896.

Mais pour que les tournages ne soient plus tributaires de la météo, il a l'idée géniale de créer le tout premier studio de cinéma au monde dans sa propriété familiale de Montreuil : c'est un grand studio vitré comprenant scène, trappe pour escamoter les comédiens, cordages, éclairages… C'est là que sont tournés nombre des 500 films de Méliès, dont certains sont bien connus comme *Le Voyage dans la Lune*, et d'autres mériteraient de l'être : *Le Tunnel sous la Manche ou le cauchemar anglo-français* !

Méliès est à la fois le réalisateur des premiers longs métrages, l'inventeur des effets spéciaux et l'organisateur des premiers congrès internationaux des professionnels de cinéma (1908 et 1909). Mais il est aussi, hélas, un piètre homme d'affaires.

Il fait faillite ; studio et théâtre sont vendus tandis que les films sont achetés au poids par des récupérateurs de celluloïd. Méliès en est réduit, avec sa seconde femme, la comédienne Jeanne d'Alcy, à prendre la gérance d'un petit kiosque à bonbons et jouets dans la Gare Montparnasse.

Certes, la profession émue par son sort finira par lui offrir un logement dans le château d'Orly, propriété de la Mutuelle du cinéma et, deux ans avant sa mort, il recevra la Légion d'honneur, parrainé par Louis Lumière (octobre 1931).

Mais contrairement à tous les pionniers du cinéma, les Pathé, Gaumont, Lumière, ce maître du rêve aura été le seul à ne pas faire fortune, à ne pas finir dans ses propres salles de cinéma au milieu des « esquimaux, chocolats glacés ! » lancés par les ouvreuses des salles obscures, mais comme vendeur dans la confiserie d'un hall de gare !

Voies de garage

Un automobiliste s'engage dans le parking de la rue de Constantine, sous la place des Invalides. La chose est banale, l'endroit l'est aussi. Ce conducteur vient pourtant de pénétrer dans le premier parc de stationnement public souterrain de la capitale, ouvert en 1964.

Certes, un autre parking souterrain avait été construit un siècle auparavant dans un immeuble de l'avenue Foch ; à ce détail près : il était, lui, prévu pour des chevaux !

De fait, les premiers garages automobiles furent tout d'abord installés dans les écuries désormais désaffectées, le palefrenier cédant la place au mécanicien. Tant que l'auto restera le luxe de quelques privilégiés, les parkings seront prévus pour une voiture unique.

À cette époque, le marquis Albert de Dion (fondateur de l'Automobile Club de France en 1895), ne rencontre jamais aucun problème pour garer dans Paris l'automobile légère à vapeur dont il est l'inventeur. En revanche, il a du fil à retordre avec sa famille qui le fait mettre sous tutelle pour dilapidation de sa fortune dans des « mécaniques enfantines ».

Au tournant du XXe siècle, on trouve encore aisément à parquer sa Torpédo ou son Phaéton, car Paris ne compte que 2 000 voitures et 11 000 chevaux, tandis qu'il faut aujourd'hui trouver où garer 4,5 millions de véhicules en tous genres pour l'ensemble de l'Île-de-France. L'envahissement progressif de l'espace urbain par la voiture a donc obligé les pouvoirs publics à réagir : apparition de la notion de stationnement irrégulier (1928), création de la zone bleue dans le centre de Paris (1957), apparition du stationnement payant (1971).

Les parkings se multiplient même si parfois les merveilles archéologiques que recèle le sous-sol parisien arrêtent provisoirement les bulldozers.

« Sous les pavés : les parkings ! » : formulé ainsi, le slogan aurait été plus conforme à la réalité. D'ailleurs, en 68, au moment même où défilaient les étudiants en colère, on utilisait pour la première fois une toute nouvelle invention : le sabot de Denver. Pas vraiment de nature à libérer nos camarades automobilistes !

La bande à Bonnot

Au lendemain de la seconde guerre mondiale, Pigalle vit naître le tristement célèbre « gang des Tractions avant », une bande de malfaiteurs composée d'anciens collaborateurs, de policiers véreux et de gangsters patentés dont certains s'étaient engagés dans la Résistance. Le plus connu d'entre eux fut Pierre Loutrel, dit Pierrot le Fou, le tout premier « ennemi public numéro un », interprété en 1965 par Jean-Paul Belmondo dans le film de Godard. Ces truands se spécialisèrent dans le braquage à bord de tractions avant Citroën, véhicules emblématiques de la guerre utilisés aussi bien par la Gestapo que par les FFI, mais ils ne furent en rien les pionniers d'un mode de braquage inauguré un quart de siècle avant eux.

Les premiers braqueurs en auto firent en effet leurs armes dans la France des années 1900. Pour permettre à la police de les appréhender, Clémenceau crée en 1907 les premières brigades régionales de police mobile, mieux connues de nos jours sous le nom de Brigades du Tigre.

À Paris, parmi les pionniers de la criminalité motorisée figure la fameuse bande à Bonnot dont la plupart des membres se réclament de l'anarchie. L'un d'eux, nommé Garnier, adresse aux journaux des messages vengeurs dans lesquels il défie la société. La bande fera plusieurs victimes. La première d'entre elles est gravement blessée le 21 décembre 1911, rue Ordener, pour une sacoche contenant dans les 5 000 francs. S'en suivra une traque de cinq mois durant laquelle le gang ne sera délogé qu'une seule fois de la une des quotidiens populaires : le lendemain du naufrage du *Titanic*, le 15 avril 1912 !

Deux semaines plus tard, le 28 avril 1912, Bonnot tombera sous les balles de la police au « Nid rouge », un pavillon de Choisy-le-Roi où il se cachait.

De cette équipée sanglante, il ne resterait aujourd'hui que quelques photos exposées au musée d'Histoire de la police, rue des Carmes, dans le 5e arrondissement, et la tête de Bonnot, conservée au musée de l'Homme dans un bocal de formol.

Enfin, pour l'anecdote, rappelons que l'employeur auprès duquel le célèbre chef de bande, mécano surdoué, aurait occupé un temps à Londres, le poste de chauffeur, n'était autre que Sir Arthur Conan Doyle, père de Sherlock Holmes !

Les chevaliers du ciel

Le 11 février 1911, à trois heures du matin, les Parisiens sont réveillés par le vrombissement d'un moteur. Sur un aéroplane de type Caudron, l'aviateur Robert Grandseigne effectue le premier vol de nuit de l'histoire de l'aviation. Il n'a aucun repère mais beaucoup de culot ! Quelques années plus tard, le 19 janvier 1919, Jules Védrines réussit à se poser en aéroplane sur le toit des *Galeries Lafayette*, exploit suivi dans les mois qui suivirent d'un autre tout aussi audacieux : indigné parce que les autorités militaires avaient décidé de faire défiler les aviateurs à pied, Jean Navarre, l'as aux douze victoires, décide de passer en avion sous l'Arc de Triomphe à l'occasion du 14 juillet 1919. Hélas, il se tue le 10 juillet en posant son appareil et c'est donc Charles Godefroy qui, le 7 août 1919, passera sous l'arche centrale de l'Arc de Triomphe à bord de son Nieuport 27.

En fait de « coucous célèbres », le musée des Arts et Métiers expose le monoplan de notre gloire nationale, Louis Blériot, qui survola la Manche le 25 juillet 1909. Cet ingénieur de 37 ans devint alors le premier grand constructeur d'avions et donna à la France la première place dans cette technique d'avant-garde. Au Bourget, on aura également une pensée pour le jeune Charles Lindbergh qui atterrit ici après avoir effectué à bord du monoplan *Spirit of Saint-Louis* la première traversée de l'Atlantique nord en solitaire en 33 heures et 27 minutes : 300 000 Parisiens vinrent le 21 mai 1927 accueillir ce jeune pilote de 25 ans donné perdant à 30 contre 1 par les bookmakers anglais !

Ensuite, ne pas manquer l'un des trophées du musée : dans sa boîte d'origine, une panoplie de Tanguy et Laverdure !

Enfants de la fratrie…

Le Caporal Peugeot dont une rue de Paris porte le nom n'a rien à voir avec le constructeur automobile ! Ce caporal était un jeune instituteur de 19 ans, originaire d'Étupes dans le Doubs. Tué le 2 août 1914 à 10 heures du matin par un cavalier allemand à Joncherey sur le territoire de Belfort, il fut le premier soldat français victime de la Grande Guerre ; c'est pour cette raison qu'une rue de la capitale lui rend hommage (17e arr.).

La rue « des Quatre-frères-Peignot » (15e arr.) honore quant à elle d'autres jeunes gens morts au front : André, Rémi, Georges et Lucien Peignot qui tous tombèrent en l'espace de 22 mois, entre septembre 1914 et juin 1916.

Voici les mots poignants qu'écrivit Lucien avant de s'engager avec son fils dans le bataillon au sein duquel venait de mourir le dernier de ses frères : « Quoi qu'il arrive, je veux aujourd'hui que le sacrifice de ma vie assure à vos cœurs une noblesse qui vous placera au-dessus du souci matériel de l'existence ».

Rares sont les Parisiens qui savent qu'en marchant du Champ-de-Mars vers le Trocadéro, ils ont constamment sous les yeux l'une des créations majeures de la famille Peignot. C'était en effet une famille réputée de « typographes fondeurs » dont l'atelier s'installa à partir de 1943 dans la cour du joli petit hôtel de Bourrienne (10e arr.). C'est dans leur atelier que seront dessinés et fondus à la fin des années trente, les grands caractères d'imprimerie dorés qui ornent le fronton du palais de Chaillot et reprennent les vers de Paul Valéry :

Il dépend de celui qui passe,
Que je sois tombe ou trésor,
Que je parle ou me taise, ceci ne tient qu'à toi,
Ami, n'entre pas sans désir.

Seuls les Parisiens les plus avertis savent qu'il existe un lien entre ces grandes et belles lettres d'or ancrées pour toujours dans la pierre du monument et cette noble famille Peignot dont les fils donnèrent leur vie pour la France.

Goût du Ritz

En 1919, pour la première fois dans l'histoire du monde, se réunissent à Paris les dirigeants les plus puissants de la planète. De la capitale jusqu'à Versailles, tous les hôtels sont envahis par les délégations étrangères et sont pleins à craquer.

Tandis que Wilson, Lloyd George et Clemenceau redessinent la carte du monde, un jeune Indochinois se fait embaucher comme aide cuisinier au Ritz, espérant y croiser quelque politicien influent auquel transmettre une disposition sur son pays.

Depuis qu'il a quitté Haiphong en 1911, ce jeune homme répondant au nom de « Ba », a fait escale à peu près partout dans le monde : Port-Saïd, Alexandrie, Dakar, Oran, Marseille, Londres et New York. Il a découvert qu'existaient d'autres peuples colonisés que le peuple vietnamien et a écrit son premier livre, véritable réquisitoire contre la colonisation française.

Il a exercé tous les métiers possibles, ayant travaillé comme plongeur, cuistot, jardinier ou même balayeur de neige, mais depuis son arrivée à Paris en 1917, il gagne sa vie en développant des photos. Il s'est aussi inscrit aux jeunesses socialistes dont il est le premier adhérent annamite sous le nom de Nguyen, ce qui dans sa langue signifie le « patriote », et milite pour l'émancipation des peuples colonisés.

Préconisant la représentation des indigènes au Parlement français, l'égalité des droits entre Annamites et Français, la liberté de la presse et de réunion, l'amnistie des prisonniers politiques, le document qu'il parvient finalement à transmettre à Wilson restera lettre morte.

Mais Nguyen reviendra au *Ritz* ! Non plus cette fois comme cuistot de service, mais comme invité d'honneur de l'amiral Thierry d'Argenlieu (4 juillet 1946). Il faut dire qu'il est alors président de la République démocratique du Vietnam et qu'on ne l'appelle plus Nguyen, le patriote mais... Ho chi Minh, celui qui apporte la lumière !

Allez Zhou !

Si la France fut le premier pays occidental à reconnaître la République populaire de Chine et à nouer avec elle des relations diplomatiques (1964), on le doit beaucoup au général de Gaulle et au premier ministre chinois d'alors, Zhou Enlai (ou Chou En-lai, 1898-1976), qui vécut à Paris dans les années vingt.

Francophile averti, il avait lu dans sa jeunesse le *Contrat social* de Rousseau et *De l'esprit des lois* de Montesquieu. C'est sans doute pour son amour de la France et sa pratique de la langue française qu'il fut choisi, avec quatre-vingts autres camarades, pour participer au groupe « travail et étude en France », lancé par un professeur de la faculté de Pékin.

Une fois à Paris, il s'installa avec son ami Chen Yi dans une chambre assez misérable d'un immeuble de la rue Godefroy dans le 13e arrondissement (manifestement prisé dès cette époque par les nouveaux arrivants chinois !).

Pour gagner sa vie, il s'était fait embaucher comme ouvrier chez Renault et occupait son peu de temps libre à publier article sur article pour faire connaître aux chinois la société occidentale.

En mars 1921, il créait une cellule du parti communiste chinois en Europe et en 1924, il regagnait son pays pour prendre part à la révolution.

Pas plus que Zhou Enlai ne revit la France, le général de Gaulle ne mit le pied en Chine. Il devait s'y rendre pour la première fois l'année même de sa disparition ; ce jour-là, le 9 novembre 1970, les drapeaux chinois furent mis en berne sur les principaux édifices de Pékin.

Zhou Enlai reçut le président Georges Pompidou en 1973, mais lui-même était alors bien trop malade pour pouvoir revenir en France où il fut pourtant invité à de nombreuses reprises.

En 2004, lorsque le président Hu Jintao vint à Paris célébrer quarante ans d'amitié franco-chinoise, sa première visite fut pour la fondation Charles de Gaulle, située 5, rue de Solferino (7e arr.), siège du RPF entre 1947 et 1958. Après un temps d'arrêt devant la machine à écrire sur laquelle le général tapa l'appel du 18 juin, et un regard sur la pendule à tout jamais arrêtée sur 7 h 00, depuis le 9 novembre 1970, jour de la mort du général, Hu Jintao a cliqué solennellement sur un clavier d'ordinateur rouge, lançant ainsi le site de la fondation Charles de Gaulle… en mandarin !

Ni blanc ni rouge

Paris 20e arrondissement, cimetière du Père-Lachaise, urne funéraire n° 6685. C'est ici que repose un personnage moins connu mais tout aussi intéressant que Lénine, Ho Chi Minh ou Chou En-Laï, qui tous vécurent aussi à Paris : il s'agit de l'anarchiste ukrainien Nestor Makhno (1889 1934), premier grand héros de la révolution d'Octobre et de la guerre civile qui déchira la Russie entre 1917 et 1921. À la différence des nombreux Slaves émigrés à Paris, Makhno eut pour particularité de n'être ni blanc ni rouge, ni tsariste ni bolchevique.

Né en 1888 à Gouliaï Polié, grande ville d'Ukraine, dans une famille très pauvre de cosaques zaporogues, Nestor Makhno fut très jeune témoin de l'oppression et de la misère dans laquelle vivaient les paysans. Avec quelques amis, il devient un genre de Robin des Bois local. Il fabrique ses premières bombes dans le pot que sa mère utilise pour préparer son pain. Le four de la maison explosera lors d'une séance d'essai !

En 1909, à la suite de plusieurs actes de terrorisme, Makhno est condamné à mort. Sa peine est commuée en une peine de travaux forcés à perpétuité, en raison de son jeune âge. C'est pendant ses huit années de bagne qu'il se forme idéologiquement.

Libéré à la révolution, il revient dans sa terre natale, et participe activement aux mouvements de grève générale qui secouent le pays. Il réussit d'ailleurs à créer quelque temps un nouvel équilibre social dans sa ville : il donne : « aux paysans la terre, aux ouvriers les fabriques », supprime les prisons, laisse entière liberté à la presse.

Au plus fort de la guerre civile, Makhno « le vengeur du peuple », prête main-forte à l'armée rouge, laquelle le trahit maintes fois. Makhno et ses hommes (jusqu'à 45 mille !) remportent deux batailles décisives contre les blancs : la bataille de Pérégonovka (fin 1919), puis une autre en novembre 1920 contre les troupes de Wrangel.

Durant les combats, les cosaques de Makhno chargent en ordre dispersé et terminent leurs assauts dans des corps à corps d'une violence inouïe, « un hachage » comme disent les makhnovistes. D'une bravoure hors du commun, Makhno survivra à plus de 200 assauts, ce qui lui vaudra sa réputation d'invincibilité. En mars 1921, comme il refuse de signer un acte de ralliement au régime officiel, les bolcheviks ordonnent sa liquidation comme bandit et terroriste. Il est obligé de s'exiler : d'abord en Roumanie puis à Paris, où il arrive au printemps 1926.

C'est un homme miné par la phtisie, le visage et le corps littéralement couturés de cicatrices effrayantes, qui arrive précédé par sa fille et sa compagne. Il peut à peine marcher car l'un de ses pieds est perclus d'éclats de balles. Il est hébergé chez des amis russes, à Saint-Cloud, puis à Romainville et enfin à Vincennes, grâce à l'aide de l'anarchiste Fuchs. Aide fondeur puis tourneur chez Renault, son état de santé le contraint bientôt à travailler assis : il se met à tresser des chaussures de femmes ! Sa femme fait des ménages. Elle le quitte bientôt avec sa fille pour ne pas être contaminée par la tuberculose dont il est atteint. Quelques anarchistes français se cotisent pour lui verser une petite pension pourtant, bien souvent il ne mange pas à sa faim. Il collabore à plusieurs revues anarchistes, mais doit interrompre ce travail sous peine d'expulsion.

Le 16 mars 1934, il est hospitalisé à l'hôpital Tenon. Il meurt dans la nuit du 24 au 25 juillet. Peu de temps avant sa mort, il avait rédigé une notice nécrologique pour son ami Rogdaiev : sa femme ne pourra l'envoyer qu'après la mort de Makhno.

Elle n'avait alors même plus de quoi acheter un timbre !

Cinq à sept

Premier auditorium symphonique parisien, la salle Pleyel flambant neuve a rouvert ses portes en 2007. Ce fut « la » grande année Pleyel avec « à la clé » cinq anniversaires : celui des 80 ans de la salle inaugurée le 18 octobre 1927, celui des 250 ans de la naissance d'Ignace Pleyel, né en 1757, compositeur autrichien élève de Haydn, qui vint s'installer à Paris pour y créer son premier commerce d'instruments ainsi qu'une maison d'édition musicale. En 1797, il publiait sa célèbre méthode de piano et déposait en 1807 le brevet de son premier piano. C'est enfin encore une année « en 7 » (1867) que la grande fabrique de pianos Pleyel s'installa du côté de Saint-Denis, une manufacture qui ferma ses portes en 1962 et dont seuls le « carrefour Pleyel » et la « rue des pianos » évoquent encore de nos jours le souvenir.

Curieusement, alors qu'Ignace Pleyel a laissé une œuvre musicale assez considérable, l'histoire lui a davantage rendu justice comme facteur de pianos que comme compositeur. Pourtant, tout le monde connaît l'une de ses œuvres sans savoir qu'il en est l'auteur : maître de chapelle à la cathédrale de Strasbourg, c'est en effet lui qui aurait mis en musique le *Chant de guerre pour l'armée du Rhin* écrit par l'un de ses amis ; un chant qui deviendrait un vrai tube sous un autre titre et qui débute par « Allons enfants de la patrie » !

Ville Lumière

Le premier établissement parisien destiné aux aveugles fut l'hospice des Quinze-Vingts créé par Saint-Louis en bordure de la rue Saint-Honoré. Une légende sinistre prétendait qu'on le destinait à recueillir 300 chevaliers français auxquels leurs geôliers sarrasins avaient crevé les yeux avant de les libérer !

Aux Quinze-Vingts, les aveugles étaient nourris, blanchis et devaient assister les condamnés à mort. On balança longtemps à leur égard entre crainte et compassion : car enfin, leur âme vouée à l'obscurité n'était-elle pas noire ?

Il faudra attendre le siècle des Lumières pour que l'on se préoccupe enfin de leur éducation. Valentin Haüy, interprète officiel de Louis XVI, fonde en 1785, rue Coquillière (1er arr.), la première école pour enfants aveugles. Elle est l'ancêtre de l'Institut national des jeunes aveugles du boulevard des Invalides, dont un certain Louis Braille fut l'éminent élève !

C'est aussi à Paris que l'on commença à doter les aveugles d'une canne blanche pour les aider à se déplacer. Mme Guilly d'Herbement en fit la suggestion dans une lettre publiée par *L'Écho de Paris* qui relaya le projet. Le 7 février 1931, elle distribua elle-même les premières cannes ; puis 5 000 aveugles de la région parisienne en reçurent à leur tour.

D'où lui était venue l'idée ? Du bâton blanc des agents de police !

Dojo intello

Ayant appris les rudiments du jiu-jitsu dans une école japonaise de Londres en 1904, Ernest Régnier est le premier lutteur français à enseigner un embryon d'art martial dans une salle de la rue de Ponthieu (8e arr.). Le 26 octobre 1905, grâce à un « Juji Gatame », il neutralise en un éclair un adversaire bien plus lourd que lui, au cours d'un combat qui se déroule non sur un tatami mais sur la terrasse d'une usine à Courbevoie ! Cette victoire éclair a un tel retentissement que Régnier ouvre bientôt une nouvelle salle sur les Champs-Élysées. Mais l'histoire du judo français ne commence vraiment qu'en 1932, avec la première conférence parisienne de Jigoro Kano, créateur de la discipline. Après y avoir assisté, Moshe Feldenkrais, chercheur féru d'arts martiaux, fait venir de Londres maître Kawaishi qui va enseigner dans le premier dojo parisien, rue Beaubourg, d'abord réservé à des élèves de confession juive puis bientôt ouvert à tous.

C'est un succès : le premier championnat de France a lieu salle Wagram le 30 mai 1943, et la Fédération française de judo naît en 1946.

Parmi ces pionniers du judo figuraient des intellectuels et des scientifiques comme Irène et Frédéric Joliot-Curie de l'Institut du radium. Pour se défouler entre deux expériences sur le cyclotron, ils allaient ensemble rue du Sommerard (5e arr.), près de la mosquée de Paris, faire o-soto-gari sur un tatami !

Travaux d'Hercule

Le 12 juillet 1937, à l'intérieur du pavillon espagnol édifié pour l'Exposition universelle, le public découvre pour la première fois la fresque monumentale commandée à Picasso par le gouvernement républicain. Depuis quelques mois, Picasso s'est installé dans l'immense grenier qu'occupaient avant lui, dans l'hôtel d'Hercule, 5-7, rue des Grands-Augustins, Jean-Louis Barrault et sa compagnie théâtrale. Signe du destin, cet hôtel particulier est le lieu même où Balzac situe l'action de sa nouvelle *Le Chef-d'œuvre inconnu*.

Pour la toile qui lui a été commandée, Picasso a d'abord pensé représenter la liberté de l'art, avec pour sujet une scène d'atelier où figureront peintre et modèle. Mais la destruction, le 26 avril 1937, par les forces aériennes allemandes de la ville basque de Guernica bouleverse le peintre, qui choisit de faire de cet événement dramatique le sujet de sa fresque.

Le Prado possède les 45 études pour *Guernica* exécutées par Picasso entre le 1er mai et le 4 juin 1937 : des premières esquisses à l'œuvre finale, il ne lui aura donc fallu que cinq semaines pour réaliser la fresque devenue l'œuvre la plus célèbre du XXe siècle !

Contemplant *Guernica,* Otto Abetz, ambassadeur de l'Allemagne nazie à Paris, aurait demandé dubitatif à Picasso : « Est-ce vous qui avez fait cela ? » À quoi Picasso aurait répondu : « Non, c'est vous ! »

La coupe au bol !

Créée au bénéfice des anciens combattants et des victimes de calamités agricoles, la loterie nationale connut son premier grand tirage le 7 novembre 1933, à Paris. Cela se passait sur la scène du Théâtre national populaire (TNP), place du Trocadéro. Il est 21 heures, lorsque le n° 18 414 de la série H remporte le gros lot d'un montant de 5 millions de francs.

Le gagnant ? Un certain Paul Bonhoure, coiffeur rue des Halles, à Tarascon.

Au cours des siècles, la loterie fut tantôt en vogue tantôt proscrite, selon que l'État frôlait ou non la banqueroute : François Ier en ayant découvert le principe en Italie, la popularisa chez nous sous le nom de « blanque », parce que les cartes distribuées étaient blanches. À l'époque, il justifia l'adoption de la loterie au prétexte que ses sujets qui joueraient au loto auraient moins de temps « pour s'injurier, se battre et blasphémer Dieu » ; c'étaient là les termes même de l'édit de Château-Renard, par lequel il créa la loterie le 22 mai 1539.

Louis XIV eut à son tour recours à une loterie pour financer son mariage avec Marie-Thérèse, et c'est aussi lui qui créa en 1700 la première loterie d'État. Par la suite, on utilisera surtout la loterie pour financer la construction d'églises (en 1644, Mazarin proposera comme lots des objets précieux), et la construction d'une nouvelle école militaire (par Louis XV, en 1757). Enfin, la chose est peu connue, mais ce sont des loteries privées qui financèrent la Salpêtrière (1660), la façade de l'église Saint-Sulpice (1745), ou l'aménagement du Champ-de-Mars (1765).

En 1776, Louis XVI crée la « loterie royale », en quelque sorte l'ancêtre du Loto, les billets étant dès cette époque vendus par 700 buralistes et colporteurs ; mais la Révolution en fit table rase et l'interdit, à l'initiative de Talleyrand qui la jugeait immorale (sic !) ; puis les caisses de l'État étant vides, elle fut rétablie et l'on prit tout naturellement pour lots les biens confisqués aux nobles émigrés. Il faudra attendre le roi Louis-Philippe pour interdire tout loto autre que destiné à des associations de bienfaisance. La loterie Nationale créée en 1933 s'inscrira tout à fait dans cette filiation.

Quant à Paul Bonhoure, notre coiffeur de Tarascon ? Ayant promis de consacrer une partie de ses gains à faire le bonheur de l'humanité, il inaugura ce généreux engagement en offrant à chacune de ses clientes... une indéfrisable !

Les trois Sherman du 501ᵉ

Ils étaient 200 blindés dans la division, mais ce jour-là ne furent que trois à partir vers la capitale : *Montmirail, Champaubert* et *Romilly*. Ils furent les premiers chars d'assaut de la 2ᵉ DB à entrer dans Paris, le 24 août 1944.

On sait que dans la foulée du débarquement, Eisenhower comptait contourner Paris. Mais l'insurrection parisienne du 19 août l'obligea à dérouter la division Leclerc sur la capitale afin que celle-ci prête main-forte aux insurgés. Leclerc dépêche en avant-garde une colonne commandée par le capitaine Dronne, colonne constituée d'éléments de la 9ᵉ compagnie du régiment de marche du Tchad, un régiment composé entre autres d'une centaine de républicains espagnols dont Dronne parle la langue. Ce régiment est d'ailleurs surnommé la *Nueve* (la neuvième, en espagnol), ou encore « le régiment du serment », car nombre de ses éléments étaient présents en Lybie au moment où Leclerc prononçait le fameux serment de Koufra du 2 mars 1941.

Le détachement Dronne comporte les trois chars d'assaut déjà cités, ainsi qu'une quinzaine de véhicules légers portant des noms de batailles de la guerre d'Espagne comme Ebro, Teruel, Brunete, Madrid ou Don Quijote.

Le 24 août, vers 20 h 45, le détachement Dronne entre dans Paris par la place d'Italie. À 21 h 22, les trois blindés prennent position sur la place de l'Hôtel-de-Ville. Le bourdon de Notre-Dame sonne à tout rompre pour saluer leur arrivée. Le lendemain, ce sera l'entrée dans Paris du général Leclerc, la Libération.

Que sont devenus ces trois Sherman ?

Champaubert a été détruit le 2 octobre 1944 et a été remplacé aussitôt par *Champaubert 2*. *Montmirail* a fini à la casse. Quant à *Romilly*, premier des trois à entrer dans Paris, son chef, l'adjudant Henri Caron, sera tué dans les combats de la capitale le 25 août.

Jusqu'en 1984, le blindé fut conservé dans l'enceinte d'une base de l'armée à Romilly-sur-Seine. Il fait maintenant partie d'une collection privée.

L'histoire a retenu d'autres noms de véhicules militaires : celui de la jeep de Dronne, répondant au sobriquet de « Mort aux cons ! » ; c'est à son sujet que De Gaulle se serait exclamé : « Vaste programme ! » Certains prétendent d'ailleurs que Dronne aurait fait effacer cette inscription à la veille de son entrée dans Paris. Autre char célèbre : le *Souffleur 2*. Ce Sherman avait à sa tête le vétéran des chefs de chars de la division Leclerc. Un soldat, alors âgé de 40 ans, qui s'était engagé dans le RBFM (Régiment blindé de fusiliers marins) en décembre 1944. On le retrouvera en janvier 1945 à Strasbourg, à la tête de son *Souffleur 2*. Ce chef de char, le second maître Moncorgé, n'était autre que Jean Gabin.

La piste aux étoiles

Cercle de douze étoiles d'or sur champ d'azur. C'est la définition officielle du drapeau européen présenté pour la première fois au grand public le 13 décembre 1955, au château de la Muette à Paris.

Le drapeau communautaire est né d'un long travail collectif supervisé par Paul Lévy, alors directeur de l'information au Conseil de l'Europe. Les étoiles sont « au nombre invariable de douze, symbole de la perfection et de la plénitude ». Voilà pour la version officielle.

En réalité, l'adoption du drapeau européen fit l'objet de tractations à n'en plus finir. De nombreuses propositions furent présentées : un « E » vert sur fond blanc (le signe du Mouvement européen) fut jugé insuffisamment esthétique. Un disque d'or et une croix rouge sur fond bleu, ainsi que tous les projets contenant une croix, furent rejetés par la Turquie. Et quand ce ne furent pas les Turcs qui refusèrent la croix, ce furent les socialistes.

On organisa alors une grande exposition au palais de Tokyo ; un artiste japonais (chose pour le moins étrange, car le Japon n'avait rien à voir avec le Conseil de l'Europe !) proposa une nouvelle idée : une grande étoile dorée sur fond bleu. Bleu et doré ? Voilà qui plut !

Un Espagnol proposa alors un champ d'azur avec des étoiles en lieu et place des capitales, mais la constellation ainsi formée ressemblait trop à la Grande Ourse. Une fois encore, mauvaise pioche !

Le 12 novembre 1954, le rapporteur met au vote un projet de drapeau représentant huit anneaux d'or. Cela ne va pas non plus : trop de ressemblance avec le drapeau olympique, et puis ces anneaux évoquent trop les chaînes de la servitude.

Paul Lévy s'adresse alors à Arsène Heitz, employé au service courrier du Conseil de l'Europe, qui propose un simple cercle de douze étoiles d'or sur fond bleu. Arsène Heitz fut d'ailleurs à lui tout seul l'auteur de 20 projets sur la centaine présentée entre 1950 et 1955 au Conseil.

Quel rapport avec Paris et ses secrets me direz-vous ?

Eh bien, Arsène Heitz déclara avoir trouvé l'inspiration en visitant un monument parisien. Pour lui, les étoiles européennes étaient la reproduction de celles qui figurent sur « la médaille miraculeuse de Notre-Dame », emblème de la chapelle du Sacré-Cœur-de-Jésus construite en 1815 au 140, rue du Bac (7e arr.).

Là, en 1830, Catherine Labouré, une fille de paysans de 23 ans entrée dans les ordres aurait par trois fois vu la Sainte Vierge. Marie lui aurait demandé de faire réaliser une médaille la représentant entourée des douze étoiles citées dans l'Apocalypse. Quant au bleu du drapeau, ce serait la couleur du manteau de Marie, tel que le décrivent les rares témoins de ses apparitions.

Le Comité des ministres du Conseil de l'Europe n'était pas au courant de cette inspiration qui leur a été présentée comme un symbole universel : les douze signes du zodiaque, les douze mois, les douze heures, les douze travaux d'Hercule...

Il n'en demeure pas moins que le dessin d'Heitz fut adopté à l'unanimité le 8 décembre 1955... jour de la fête de « l'Immaculée Conception » chez les catholiques !

Pharaonique !

Au lendemain de la seconde guerre mondiale, l'Allemagne n'a même plus d'ambassade à Paris. L'hôtel de Beauharnais, rue de Lille (7e arr.), où logeait le dernier ambassadeur de l'Allemagne nazie, Otto Abetz, a été confisqué en 1945. L'édifice est si délabré que les Allemands refuseront catégoriquement de récupérer l'endroit, jusqu'à ce que le général de Gaulle ne le restitue officiellement au président allemand Lübke, lors de la visite officielle de celui-ci le 20 juin 1961. Un cadeau empoisonné, car entre-temps, l'hôtel de Beauharnais est devenu monument historique (1951). Charge donc à son nouveau propriétaire de redonner au lieu son lustre d'antan.

Vingt millions de marks devront être engloutis par l'Allemagne dans des travaux qui dureront jusqu'en 1968, date à laquelle l'hôtel de Beauharnais redeviendra la résidence officielle de l'ambassadeur d'Allemagne.

Depuis, l'édifice a retrouvé le faste que lui avait donné Eugène de Beauharnais, propriétaire des lieux constamment encouragé à la dépense par sa mère Joséphine ! Excédé par cette folie des grandeurs, Napoléon avait d'ailleurs mis l'embargo sur cette résidence qu'Eugène finit par vendre à Frédéric Guillaume III de Prusse en 1818.

L'ambassade d'Allemagne restaurée est inaugurée le 3 février 1968 par Lübke et le général de Gaulle. Elle a des faux airs de Karnak avec son portique à l'égyptienne, son étonnant boudoir ottoman où Bismarck, en séjour à

Paris pour l'Exposition universelle de 1867, recevait ses invités.

Tous les meubles sont signés par de grands maîtres, les accoudoirs des fauteuils et des canapés sont agrémentés de têtes de cygne, animal fétiche de Joséphine, les tapis et les lustres ont été refaits à l'identique d'après d'anciens cartons. Un portrait de Wagner rappelle que le compositeur séjourna ici en 1861. Désespéré par le flop de *Tannhäuser* (à la troisième représentation, la salle était complètement vide !), boycotté par le Jockey Club qui avait commandé au maestro non pas un opéra mais un ballet, il fut recueilli ici par la comtesse de Pourtalès, femme de l'ambassadeur, d'origine française et huguenote.

Lorsqu'il vint en France en 1958, le chancelier Adenauer n'avait donc pas encore de résidence parisienne digne de ce nom. Mais il fut invité à la Boisserie, demeure du général de Gaulle à Colombey-les-Deux-Églises. Aucun autre chef d'État ne devait partager cet insigne privilège.

Histoire de fous

C'est à l'hôpital du Val-de-Grâce que fut expérimenté en 1952 le premier « cocktail chimique » qui devait libérer ceux que l'on appelait encore les « forcenés » de la camisole et de la chambre capitonnée. Ce quartier de Paris est d'ailleurs un haut lieu de l'histoire de la psychiatrie : on y trouve l'hôpital Sainte-Anne, qui fut une ferme pendant trente ans avant d'être transformée en asile clinique par Haussmann en 1861. Jusqu'alors, on y occupait à des travaux agricoles 170 aliénés convalescents. À la Salpêtrière toute proche, Philippe Pinel, « bienfaiteur des aliénés », ainsi que le qualifie sa statue, réalisa la première nomenclature des maladies mentales, créant notamment une distinction entre fous et imbéciles ! C'est là aussi qu'enseigna le fameux Professeur Charcot, pour lequel fut créée en 1882 la première chaire de clinique des maladies du système nerveux. C'est pour suivre ses cours sur l'hystérie que Freud vint passer à Paris l'hiver 1885-1886. Il s'installa près du Panthéon, où il habita une modeste pension puis un hôtel qui existe encore de nos jours : l'hôtel du Brésil, 10, rue Le Goff (5e arr.).

Il passa des heures à étudier assis au pied de Notre-Dame et à traduire en allemand l'œuvre de Charcot. Quand on pense qu'avant de s'intéresser à l'inconscient, il avait entamé sa carrière de médecin par des recherches sur les glandes sexuelles des anguilles !

Jolie môme

Née le 19 décembre 1915 à l'hôpital Tenon, près de la porte de Bagnolet (20e arr.), et non pas sous un lampadaire à Belleville ainsi que le prétend la légende, Édith Gassion a donné son nom de scène à une petite place du quartier devenue place Édith… Piaf !

Depuis le 11 octobre 2003, une statue inaugurée à l'occasion des quarante ans de sa disparition agrémente l'endroit. C'est une œuvre très touchante représentant la chanteuse les bras tendus vers le ciel.

Ce n'est cependant pas à Belleville mais à Ménilmontant que se trouve le petit musée Édith Piaf, dont la collection constituée par un passionné comporte toutes sortes d'objets émouvants. Niché dans un deux-pièces où elle ne logea que quelques mois, ce musée est aussi le siège de la première association d'admirateurs créée en 1967 : « Les Amis d'Édith Piaf », association ayant eu pour présidents Bruno Coquatrix ou Théo Lamboukas, dernier mari d'Édith, plus connu sous le nom de Théo Sarapo (nom choisi par Piaf parce qu'il signifiait « je t'aime » en grec).

L'effigie grandeur nature de la chanteuse (1,47 mètre), ses paires de chaussures en taille 34 et ses mythiques petites robes noires sont bouleversantes : où donc un être aussi menu allait-il puiser une telle puissance vocale ? Posés sur un guéridon, les gants de boxe de Marcel Cerdan voisinent avec une robe de chambre noire un peu flapie que Piaf offrit à Moustaki en 1958. Lui-même en a fait cadeau au musée, il y a quelques années. Édith Piaf ne faisait jamais les choses à moitié : quand elle aimait un vêtement, un sac à main ou des gants, elle les commandait en plusieurs exemplaires. (Dans une armoire, une même robe de chambre en bleu et en rose…)

Au mur, une lettre adressée à Robert Dalban que Piaf selon son humeur appelait « mon Bob tout rose » ou « Ducon » ; puis ce petit mot : « Chère Édith, j'ai débuté dans le métier en 1912 avec ta maman. Je suis, et pour toujours fidèlement, ton pote. » Un pote nommé Michel Simon.

Cartons présidentiels

Le général de Gaulle, premier président de la Ve République, fut aussi le premier de nos 23 présidents de la République depuis Louis Napoléon Bonaparte à envisager sérieusement de ne pas s'installer au palais de l'Élysée.

Il n'aimait pas cet édifice qu'il jugeait trop bourgeois et manquant à son goût de grandeur. Selon lui, entre l'abdication de l'empereur Napoléon Ier au lendemain de Waterloo (22 juin 1815) et la mort de Félix Faure dans les bras de sa maîtresse (16 février 1899), rien de grandiose ne s'y était jamais passé : au reste, « Écrit-on l'histoire dans le 8e arrondissement ? » se plaisait-il à dire !

Voilà pourquoi il songea à quitter l'hôtel d'Évreux. Faire construire à Saint-Cloud ou bien aux Tuileries ? Investir un édifice existant ? Les Invalides, le Louvre, l'hôtel Biron (musée Rodin), Versailles, Fontainebleau, Rambouillet, Compiègne ou même le château de Vincennes furent évoqués. André Malraux pour sa part, suggérait le Trianon, résidence non d'une favorite, mais d'une reine de France ! Finalement, le Trianon fut affecté à la réception des hôtes étrangers de la République française et le projet de déménagement fut rangé dans les cartons.

Le jour même de son investiture, François Mitterrand, premier président de gauche de la Ve République, confia à Jacques Attali que son choix se portait sur les Invalides. À quoi il lui fut rétorqué qu'inaugurer sa présidence par un déménagement dans un édifice voulu par le Roi-Soleil, symbole même, s'il en fut, de l'Ancien Régime et de l'absolutisme royal, aurait été d'une grande maladresse. Le président Mitterrand resta donc à l'Élysée. Mais pour satisfaire son rêve de grandeur, il fit édifier la pyramide du Louvre… dont l'inclinaison, doit-on le rappeler ici, est très précisément celle de la grande pyramide de Khéops !

En garde !

Il y a quarante ans, le 21 avril 1967, le premier et dernier duel parlementaire de la Ve République opposait Gaston Defferre, alors député maire de Marseille, au député gaulliste René Ribière. La veille, à l'Assemblée nationale, au cours d'une séance houleuse où il avait été question de fraude électorale, Defferre avait gratifié Ribière d'un : « Taisez-vous abruti ! » L'offensé vint sur le champ lui demander réparation, une exigence réclamée d'autant plus crânement qu'il devait se marier dans les jours suivants et qu'il importait donc, plus que jamais, que son honneur fût lavé sur le champ.

Si Defferre avait déjà affronté un député radical au pistolet, son adversaire en revanche n'avait jamais touché une arme de sa vie et dut prendre deux heures de cours particulier avant de se rendre discrètement dans le jardin de la villa de Neuilly où il était prévu que l'on croisât le fer. Le combat dura cinq minutes, Ribière fut blessé sans gravité et *Paris Match* publia les photos de la rencontre !

D'autres grands duels parlementaires, « Déroulède-Clemenceau » au moment du scandale de Panama, et plus tard « Déroulède-Jaurès », sont évoqués par la bibliothèque de l'Assemblée qui expose également les épées du duel de Charles Floquet avec le général Boulanger en 1888.

Ironie de l'histoire, l'Assemblée nationale se trouve précisément sur le Pré-aux-Clercs, l'endroit où se retrouvaient la plupart des duellistes au XVIIe siècle, et non loin de l'ancienne « île Maquerelle » (île qui fut incorporée au Champ-de-Mars), dont le nom vient précisément des mauvaises querelles que s'y faisaient les duellistes : « mal-querelle ».

À côté de ces duels parlementaires, Paris fut le champ de bataille de bien d'autres duellistes célèbres : les fameux mignons d'Henri III, Quelus et Maugiron, qui se battirent à mort contre Ribérac, Schomberg et Entragues, surnommé « le bel Entraguet ». Le chevalier d'Andrieux qui, à l'âge de 30 ans, avait déjà tué 72 personnes en duel ; de Montmorency-Bouteville : à l'âge de 24 ans, il avait déjà eu 19 duels et comme il bravait constamment l'édit de Richelieu qui les avait formellement prohibés sous peine de mort (édit du 2 juin 1626), il dut s'enfuir en Belgique. Furieux d'avoir dû quitter son pays, il rentra à Paris et jura qu'il irait se battre en plein jour. Le mercredi 12 mai 1627, eut lieu place Royale le fameux duel à la suite duquel il fut décapité sur ordre de Richelieu, le 22 juin suivant. C'était son vingt-deuxième duel, il avait 27 ans !

Citons également le célèbre bandit Lacenaire, qui tua en duel le neveu de Benjamin Constant. Alexandre Dumas, qui ne tua personne, mais qui, sachez-le, non content d'être passé maître en roman de cape et d'épée, fut également un très brillant bretteur qui pratiquait l'escrime rue du Faubourg-Montmartre dans la salle d'Augustin Grisier, lequel avait enseigné à la cour du Tsar.

Le pamphlétaire, journaliste et poète Laurent Tailhade, mort en 1919, avait eu plus de 40 duels, dont un avec Maurice Barrès qui le blessa à la main droite, ce qui l'avait forcé à devenir gaucher. L'explosion d'une bombe anarchiste au restaurant *Foyot* en 1894 l'avait déjà rendu borgne !

Il est vrai qu'à l'époque, on ne plaisantait pas avec le « point d'honneur », notion définie sans ambiguïté par le code du duel du comte de Chatauvillard comme « le degré de susceptibilité qui peut varier de caractère et d'intensité suivant le tempérament et la position sociale de l'offensé » (1836).

Laissez parler les p'tits papiers

L'enfance des petits parisiens d'aujourd'hui ressemble-t-elle à celle de leurs grands-parents ? Évidemment non ! Chaque génération a ses propres souvenirs. Si vous avez moins de 30 ans, vous n'avez jamais vu de chaisière dans un jardin public, ni de poinçonneur, ni de vieilles rames Sprague-Thomson rouges et vertes. Pour vous, les tunnels du métro sont maculés de tags, non de la publicité « Du beau, du bon, Dubonnet », et les numéros de téléphone ont toujours commencé par 01, jamais par Kléber, Odéon ou Passy. Vous n'avez jamais fait vos courses à *Inno, Paris-Medoc* ou *La Parisienne,* ces enseignes n'existent plus !

Vous ne comprenez pas le sens de l'expression « trou des Halles » ; normal, il était déjà comblé à votre naissance, vous qui avez le même âge que le petit lapin du métro conseillant aux enfants de « ne pas mettre la main sur les portes pour ne pas se faire pincer très fort » ; et encore, lui aussi a blanchi sous le harnais : c'est aujourd'hui un vieux rongeur plus que trentenaire !

S'il est vrai, comme le dit la chanson, que « Paris sera toujours Paris », alors les Parisiens de 7 à 77 ans doivent tout de même bien posséder quelques trésors communs dans la boîte à secrets de leur enfance ?

Bref inventaire.

Ce trésor sera surtout fait de p'tits papiers, en particulier de tickets de métro. À chaque génération, à chaque époque sa couleur, jaune, mauve, vert puis blanc. « Pourquoi le ticket de métro a-t-il si longtemps été jaune, et les arrêts de bus rouge et jaune ? demandera le petit parisien de 2011 à son grand-père. – Parce que le jaune et le rouge sont les couleurs de l'École polytechnique qui a fourni tant et tant de présidents à la RATP » lui sera-t-il répondu.

En plus des tickets de métro, il y aura des billets d'entrée pour la tour Eiffel ou le musée Grévin, des places pour une pièce de Molière à la Comédie-Française ou un concert à l'*Olympia,* des entrées pour le zoo de Vincennes ou celui du Jardin des plantes, ou encore une entrée au palais de la Découverte où l'on aura participé à l'expérience sur l'électricité statique et vu le planétarium.

Les plus jeunes ajouteront dans leur coffret un billet pour la Géode et la Cité des sciences.

On trouvera aussi des tickets pour les guignols ou les manèges de chevaux de bois des Tuileries, du parc Montsouris, des Buttes-Chaumont ou du jardin du Luxembourg, où l'on sera tenu de raconter aux plus jeunes l'origine du jeu de bague, déjà expliquée dans ces pages (« Hue dada ! » p. 123).

Petit papier toujours, avec un objet aussi incontournable que le ticket de métro : une ou plusieurs photos prises à la Rivière enchantée du Jardin d'acclimatation ! Faites un petit effort de mémoire : combien de fois dans votre enfance avez-vous longé en barque les méandres de ce cours d'eau artificiel ? Cinq, dix, vingt fois peut-être ? Et les photos ? Combien en possédez-vous ? Avez-vous connu le temps où le photographe était en chair et en os, celui de l'appareil automatique ou celui bien plus récent des photos couleurs en numérique ? Si vous en détenez plusieurs dans la boîte à souvenirs de votre enfance, c'est que vous avez dû emprunter aussi souvent le petit train de la porte Maillot !

La boîte à secrets devrait contenir également un vieux sac du grand magasin le plus fréquenté par votre maman : les « Galeries » ou la « Samar » pour la rive droite, Le Bon Marché ou le BHV pour la rive gauche. Sur ce sujet-là aussi votre grand-père aura des choses à vous apprendre : par exemple, que La Samaritaine tient son nom d'une pompe à eau installée sur le pont Neuf sous Henri IV et que l'emplacement du BHV fut déterminé à coups de parapluie ! Son fondateur, un certain Ruel, avait placé dans différents endroits de Paris des camelots dont l'éventaire, un parapluie, contenait divers articles : c'est à l'angle rue des Archives-rue de Rivoli (4e arr.) que la vente se fit le mieux !

Tout aussi indispensable que la photo de vous naviguant sur la Rivière enchantée, citons encore une carte postale représentant le grand chouchou de générations de Parisiens : le zouave du pont de l'Alma. Impossible de passer près de lui en bateau-mouche avec vos grands-parents, sans que ceux-ci n'évoquent aussitôt la grande crue de 1910 au cours de laquelle la Seine monta tant que le zouave eut de l'eau jusqu'au menton. Ayant lu dans ces pages ce qui le concerne, vous pourrez aisément évoquer non seulement la grande crue, mais aussi la disparition des compagnons du zouave et l'emplacement actuel de chacun d'eux.

Voilà notre boîte à souvenirs pleine à craquer de tickets, billets, photos, sacs en papier, cartes postales. Avant de la refermer, ajoutons-y un souvenir plus roboratif, avec une friandise typiquement parisienne : le petit cochon en pain d'épice de la foire du Trône ; il a pour origine le privilège qu'avaient les religieux de Saint-Antoine de laisser errer leurs cochons dans les rues du Faubourg. Cela, il y a fort à parier que même votre grand-père, qui sait pourtant bien des choses sur Paris, ne l'ait jamais entendu dire !

Récapitulons : cela fait 234 ans que les petits parisiens montent sur des chevaux de bois, 155 ans qu'ils saluent depuis la Seine le zouave du pont de l'Alma, 111 ans qu'ils collectionnent les tickets de métro, 84 ans qu'ils naviguent sur la Rivière enchantée, et plus de 500 ans qu'ils mangent des cochons en pain d'épice à la foire du Trône !

De quoi tomber d'accord avec le refrain bien connu : « Un gamin d'Paris, c'est tout un poème ! »

– Les poinçonneurs ont pris leur retraite définitive en 1974.

– La dernière rame de métro Sprague-Thomson dont les wagons étaient rouge et vert a pris sa retraite en 1983.

– Créé à la fin des années soixante-dix et ne parlant que français à sa naissance, le petit lapin du métro parle cinq langues depuis 2002 !

– Il fut longtemps d'usage de payer pour s'asseoir dans les jardins publics puisque les chaisières exercèrent leur métier de 1805 à 1974.

– La roue à aube qui crée le mouvement de la Rivière enchantée a été installée en 1927.

– La foire du Trône remonte au XVIe siècle.

Adoptez un livre !

En 2003, la bibliothèque des Lettres et Sciences humaines de l'École normale supérieure, rue d'Ulm, a été victime d'un important dégât des eaux. Plus de 2 000 livres ont été endommagés, dont une grande partie attend encore sa restauration. Dans cette bibliothèque créée en 1847, même le plus anodin des livres brochés a potentiellement une grande valeur historique et affective : peut-être fut-il le livre de chevet de l'un de nos plus grands philosophes, écrivains ou politiciens ? Jusqu'en 1928, les emprunts de livres se faisaient par fiches et étaient reportés dans de gros recueils répertoriant les ouvrages lus par chaque élève dans l'année scolaire. En consultant ces recueils, on découvre que Jaurès emprunta très souvent les œuvres des philosophes allemands, et que pour faire sa thèse, Jankélévitch lisait surtout Kant et Hegel dont la bibliothèque a par ailleurs conservé les précieuses notes de cours. Rien de bien surprenant à ce que ce soit ici qu'ait été débattu le projet de création du journal *L'Humanité,* et que se prépara le congrès du *Globe* et la naissance de la SFIO.

La liste des livres empruntés par Sartre en première année fait, quant à elle, plus de 12 pages ! Il eut d'ailleurs une année de plus que ses camarades pour explorer les trésors de la bibliothèque, puisqu'il loupa l'agrégation à la fin de sa troisième année et dut la repasser l'année suivante. Aujourd'hui encore, ces livres sont en accès libre et certaines cotes d'origine ont été conservées, y compris quand leur adoption était la manifestation d'un certain parti pris : ainsi les cotes « Religion chrétienne » sont classées dans la rubrique « Mythologie », et la Ve République est cotée « ER », c'est-à-dire « Empire et Restauration ».

Sous l'Occupation, il y eut les achats de livres obligatoires, et les livres interdits que les bibliothécaires cachaient au-dessus des bibliothèques. On conserve également dans ces lieux les revues, pièces de théâtre ou petites créations potaches réalisées par les élèves, intitulées *Le Crépuscule des vieux, À l'ombre des vieilles filles en fleurs* ou encore *La Revue des trois mondes.*

À côté des ouvrages inondés en 2003, il y a ces milliers d'autres dont les coiffes se déchirent ou qui perdent leurs pages. Pour les sauver, la bibliothèque avait lancé il y a de cela quelques années une campagne d'adoption auprès du grand public. Il fallait alors compter 30 euros pour relier un simple livre, jusqu'à 870 euros pour les œuvres d'Horace imprimées à Hambourg en 1733, ou même 1 094 euros pour celles de Sénèque dans une édition de 1782.

Il suffisait de choisir dans la liste des œuvres détériorées celle à la restauration de laquelle on souhaitait contribuer, du livre de poche à l'incunable du XIVe siècle. Pour toute contribution, un « ex-dono » assorti d'un reçu fiscal venait entériner l'adoption de l'ouvrage dont on avait ainsi généreusement prolongé l'existence.

À vendre, tour Eiffel, travaux à prévoir

Le 19 novembre 2007, un tronçon de l'escalier hélicoïdal original de la tour Eiffel était mis en vente à Drouot. C'était un morceau de l'escalier qui reliait le 2e au 3e étage de la Tour, escalier démonté en 1983 et débité en 24 tronçons, dont 20 furent vendus aux enchères et 4 offerts à des musées (tour Eiffel, musée d'Orsay, Cité des sciences de la Villette et musée du Fer de Janville, près de Nancy). L'un des morceaux vendus à des particuliers se trouve aujourd'hui au pied de la statue de la Liberté à New York, un autre fut acquis par l'un des patrons de Walt Disney, un autre encore se trouve chez le chanteur Guy Béart !

Le morceau vendu en 2007 provenait du démantèlement de 1983. Ayant pris connaissance du prix atteint par la vente de 2006 (un autre morceau de la Tour avait alors été mis aux enchères et vendu 180 000 euros), l'un des acheteurs de 1983 se décida à se défaire de son propre morceau acquis à l'époque pour moins de 10 000 euros.

Le morceau qu'il mettait en vente était une pièce de 3,5 mètres, 700 kg et 18 marches, estimée entre 60 000 et 800 000 euros. L'ensemble était monté sur un socle et, faute de place sans doute, n'était pas exposé chez le galeriste qui en assurait la vente, mais vendu sur photo.

Qui furent les enchérisseurs ? Surtout des étrangers.

Au terme d'une bataille entre acheteurs indiens, russes, anglais et hollandais, l'enchère qui atteindra la somme de 180 000 euros sera finalement remportée par le patron de la société Eiffel, une entreprise néerlandaise de conseil juridique et financier. L'acheteur n'a rien à voir avec la famille Eiffel, il a seulement choisi ce nom pour sa notoriété ; en tout cas, Eiffel ou pas, le gros tronçon trônerait désormais dans les locaux de son entreprise.

Encore un élément de notre patrimoine qui quitte l'Hexagone, persifleront certains ; mais après tout, les étrangers sont presque plus attachés à la tour Eiffel que nous le sommes nous-mêmes : les Français, en effet, ne représentent que 21 % de ses visiteurs !

Et qui sont les plus grands amoureux de la tour Eiffel ? Les Américains qui en sont fous, en possèdent sept copies et en sont les visiteurs les plus nombreux.

Enfants de la patrie ?

Si Paris est l'une des plus belles villes au monde, elle ne le doit pas uniquement au génie français ! Elle le doit aussi aux hôtes étrangers qui, tout au long de son histoire, l'aimèrent et exprimèrent cet amour en lui offrant musées, mémoriaux ou œuvres d'art… Il n'est que justice de manifester notre gratitude à ces amis de Paris venus d'ailleurs, pour les précieux cadeaux dont ils firent don à notre capitale.

À l'orée du parc Monceau, le musée Cernuschi présente une exceptionnelle collection d'antiquités asiatiques dont l'élément le plus remarquable, originaire du Japon, est un Bouddha monumental assis sur des fleurs de lotus. C'est Henri Cernuschi, richissime financier d'origine italienne, qui constitua cette importante collection au cours de ses voyages en Extrême-Orient. Pour l'accueillir, il fit édifier le petit hôtel particulier dont Paris hérita à sa mort en 1896. Certes, ce musée tranche avec les immeubles de la plaine Monceau par son style néoclassique italianisant, mais ce n'est rien à côté de l'impression saisissante que produit sur le promeneur la pagode chinoise ocre-rouge de M. Loo située à deux pas de là, rue de Courcelles (8e arr.). L'ancienne ambassade de Chine ? Pas du tout ! M. Loo fut longtemps le meilleur expert en art oriental de la place de Paris. Il commanda cette pagode achevée en 1926 à François Bloch, architecte qui pour n'avoir pas une goutte de sang chinois n'en possédait pas moins l'art subtil d'incurver les toits ! M. Loo fit don de quelques-uns de ses plus beaux jades antiques au musée Guimet, mais après sa mort en 1957, son entreprise resta propriétaire de la Pagode.

La duchesse de Galliera, aristocrate italienne amoureuse de Paris, va faire très exactement le contraire : elle va offrir à la capitale française son palais de l'avenue de New York, mais la priver des œuvres d'art – notamment d'admirables Van Dyck – qu'elle lui destinait initialement. Pourquoi changea-t-elle d'avis ? Parce qu'elle avait été indignée de l'adoption, en 1886, de la loi d'exil interdisant le sol français aux membres des anciennes familles régnantes, au nombre desquels ses grands amis Orléans. Adieu donc, Van Dyck de la duchesse ! Ils partirent finalement pour Gênes, sa ville natale. Restait tout de même son ravissant palais dans le style « Renaissance italienne », édifice qui accueille de nos jours le musée Galliera, musée de la Mode de la ville de Paris.

Si cette anicroche d'ordre politique ne priva la capitale française que de quelques tableaux supplémentaires, c'est hélas une tragédie familiale qui fit de la ville de Paris la propriétaire accidentelle d'un autre merveilleux musée : Nissim de Camondo. Ce gracieux hôtel particulier abrite l'un des ensembles les plus aboutis de l'art décoratif français de la fin du XVIIIe siècle. Appartenant à une très ancienne famille de Juifs espagnols implantée à Venise, puis à Constantinople, les Camondo étaient à la tête de l'une des banques les plus importantes de l'Empire ottoman. Moïse Camondo s'installa à Paris en 1869 et fit construire une grandiose demeure, rue de Monceau (8e arr.) ; grandiose sans doute, mais trop « haussmannienne » au goût de son fils qui la fera purement et simplement raser en 1911, pour faire construire à sa place un hôtel particulier inspiré du Petit Trianon de Versailles. L'hôtel aurait dû revenir à son fils Nissim, mais celui-ci, pilote dans l'aviation française, trouvera la mort en 1917 dans un combat aérien. Il était le premier des Camondo à avoir pris la nationalité française. Ce drame déterminera Moïse à faire don de sa collection à l'Union centrale des arts décoratifs et à donner au musée le nom de son regretté fils. Aujourd'hui encore, une photo de Nissim en tenue d'aviateur accueille les visiteurs à l'entrée du musée.

La première guerre mondiale eut une autre conséquence pour la ville de Paris : la construction de la première mosquée de la capitale en hommage aux près de 100 000 soldats musulmans morts pour la France entre 1914 et 1918. Si ce projet fut une initiative française, c'est à l'Algérien Kaddour Benghabrit que fut confiée sa réalisation. Inspirée de celle de Fez au Maroc, la Grande Mosquée de Paris sera inaugurée le 15 juillet 1926 en présence du président français Gaston Doumergue et du sultan du Maroc Moulay Youssef. Toute la partie décorative de l'édifice sera confiée à des artisans d'Afrique du Nord, et de généreux donateurs comme le roi Fouad d'Égypte ou le bey de Tunis offriront tapis précieux, lustres, cuivres et autres meubles incrustés de nacre.

Les monuments commémoratifs offerts à la capitale française par des étrangers ont déjà été signalés dans ces pages : il s'agit bien sûr de l'obélisque de Louxor offert en 1830 par le vice-roi d'Égypte Mehmet Ali, du modèle réduit de la statue de la Liberté dominant la Seine depuis l'île aux Cygnes. Au nombre des cadeaux « utiles », nous avons également déjà mentionné les cinquante premières fontaines Wallace offertes par le bienfaiteur britannique au lendemain de la guerre de 1870. Avec les colonnes Morris et les entrées de métro Guimard, elles font partie des éléments les plus caractéristiques du mobilier urbain parisien. Paris en compte plus d'une centaine. Du côté des spécialités gastronomiques, nous avons déjà rendu grâce dans ces pages aux reines espagnoles qui nous apportèrent le chocolat, à Marie-Antoinette qui popularisa les croissants, au maréchal de camp de Louis XIII à qui nous devons la frangipane ; impossible de ne pas ajouter à cette liste l'ambassadeur du sultan ottoman qui révéla le café aux Parisiens, et le jeune Sicilien Francesco Procopio dei Coltelli, qui fonda en 1684 l'un des tout premiers cafés de la ville, *Le Procope,* qui deviendrait l'établissement préféré de Voltaire, Rousseau, Diderot, tous ces messieurs que l'on appellerait bientôt les « encyclopédistes »... N'oublions pas non plus le Napolitain Veloni, qui fut le premier glacier de la capitale.

Dans un tout autre registre, celui de la botanique, c'est à des Anglais que nous devons les deux arbres les plus vieux de Paris ! Âgé de plus de 400 ans, le robinier ou faux acacia du square Viviani, près de Notre-Dame, fut planté ici autour de 1622 par Jean Robin, botaniste du roi Henri IV, à partir de graines offertes par le naturaliste anglais John Tradescant. Le cèdre bleu du Liban du Jardin des plantes fut, quant à lui, donné en 1732 au botaniste Bernard de Jussieu par le médecin anglais Collinson. Si l'on voulait enfin citer tous les cadeaux étonnants faits par des étrangers à notre ville, un livre entier n'y suffirait pas. Car, là encore, il faudrait signaler quelques objets déjà évoqués ici, comme les bénitiers de Saint-Sulpice ou la tête de Descartes envoyée par le scientifique suédois Berzélius à son confrère Cuvier dans une boîte à chapeau ; à la fausse tête de mort utilisée pour les besoins du film *Psychose*, adressée dans un joli paquet-cadeau à Henri Langlois par Alfred Hitchcock en personne. À cet inventaire étrange, il conviendrait d'ajouter quelques objets conservés à l'hôtel d'Alsace, rue Bonaparte, où Oscar Wilde vécut ses derniers mois jusqu'à sa mort le 30 novembre 1900 : son parapluie et… sa note d'hôtel !

Modifications provisoires

Paris est en perpétuelle transformation. Chaque époque de notre histoire, chaque monarque, chaque régime politique a imprimé sa marque sur notre ville. Ce riche passé se lit à la fois dans les différents styles architecturaux qui se juxtaposent dans notre capitale, dans les noms de ses rues, mais aussi sur certains édifices ou monuments commémoratifs victimes plus que d'autres des soubresauts de l'histoire.

Cela a donné lieu à un bon nombre d'anecdotes.

En ce qui concerne les noms de rues, dont la modification est chose facile, la Révolution française manifestera une grande créativité, débaptisant à tour de bras tout ce qui de près ou de loin évoquait un passé dont elle entendait bien faire table rase. Elle choisit donc des noms dans le registre des grands principes qu'elle défendait : rues de l'Égalité, de la Justice, de la Raison, place de la Liberté…

Sur cette lancée, nos aïeux sans-culottes martelèrent consciencieusement au burin le mot « saint » à chaque fois que celui-ci apparaissait dans un nom de rue (mais il est à noter qu'aujourd'hui encore, 119 rues de Paris comportent ce mot !), et rebaptisèrent nos artères à l'envi : la rue des Francs-Bourgeois devient en toute logique la rue « des Francs-Citoyens », la rue Louis-le-Grand se nommera désormais rue « des Piques ». Mais les monuments sont également concernés par la Révolution en marche : le 10 mai 1793, après que la Convention a pris possession des Tuileries, le dôme de son pavillon central est coiffé d'un bonnet phrygien haut de deux mètres. On appellera cette opération : « sans-culotiser le dôme royal » ! La statue de Louis XIV sur la place Vendôme est détruite ; il n'en reste que le socle, lequel, ainsi que nous l'avons déjà indiqué dans ces pages, sera utilisé pour la grandiloquente cérémonie funèbre de Le Peletier de Saint-Fargeau. Déboulonné aussi, le cheval d'Henri IV sur le pont Neuf… En somme, comme le remarquent ceux dont la Révolution française n'est pas la « tasse de thé », en fait de réalisations architecturales, elle ne nous a guère laissé que le Champ-de-Mars !

Sous le Premier Empire, il avait été prévu que les chevaux de Saint-Marc, saisis à Venise en 1797 par les troupes françaises et installés au sommet de l'arc de triomphe du Carrousel, seraient guidés par l'Empereur. Mais le char resta vide. Certains prétendent que c'est Napoléon Ier en personne qui refusa que sa statue soit placée sur le quadrige ; d'autres font remarquer que les catastrophes allant plus vite que les projets d'architectes, cette idée ne fut pas réalisée faute de temps ! À la chute de l'Empire (1815), le quadrige fut restitué à Venise par les Autrichiens ; c'est donc une copie par Bosio datant de 1827 qui trône aujourd'hui au sommet du Carrousel. Le quadrige original ne passa donc que dix-sept ans à Paris, où il séjourna successivement, aux Invalides, au sommet de piliers agrémentant une grille des Tuileries, puis au sommet de l'arc.

C'est encore sous le Premier Empire que fut érigée dans Paris la toute première statue ne représentant pas un monarque. Il s'agissait d'une statue du général Desaix, brillant vainqueur d'Héliopolis, mort à Marengo à l'âge de 32 ans. Élevée sur la place des Victoires (2e arr.), cette statue ne tarda pas à faire scandale car Desaix était représenté à l'antique, c'est-à-dire nu comme un ver ! On la recouvrit bientôt d'un échafaudage, puis elle fut fondue. Le bronze de cette statue de Desaix fut utilisé, ainsi que la statue de Napoléon qui surmontait la colonne Vendôme, pour réaliser la nouvelle statue d'Henri IV dressée sur le pont Neuf.

Dominique Vivant Denon, directeur du musée du Louvre sous l'Empire, avait été le grand ami de Desaix.

C'est grâce à lui qu'il avait pu participer à la campagne d'Égypte. Denon respectait Desaix pour son courage, son intelligence et le goût très sûr qu'il manifestait dans le domaine artistique. Aussi ne fut-on guère surpris de découvrir dans l'inventaire de ses biens, à la référence n° 722 du catalogue, la « partie antérieure d'un pouce de la statue colossale du général Desaix par feu M. Dejoux, placée en 1810 sur la place des Victoires à Paris ». De cette statue qui avait fait scandale parce qu'elle représentait le soldat totalement nu, il ne restait donc plus à présent qu'un morceau de pouce !

Les goûts changent avec le temps ; le pont de la Concorde reliant l'Assemblée nationale à la place de la Concorde fut d'abord agrémenté, à la demande de Napoléon Ier, des statues de huit de ses généraux morts sur les champs de bataille (1810). Mais sous la Restauration, celles-ci cédèrent la place aux effigies de quatre grands ministres (Suger, Sully, Richelieu, Colbert), de quatre grands soldats (Du Guesclin, Bayard, Condé, Turenne), ainsi que de quatre marins (Tourville, Duguay-Trouin, Duquesne et Suffren). Voilà donc un pont qui, jusqu'en 1830, ressemblait comme un frère au pont Saint-Charles de Prague, dans le même style troubadour qui faisait fureur à l'époque. Jugées trop lourdes pour le pont, ces statues furent transférées à Versailles à la demande de Louis-Philippe.

Tandis que le pont de la Concorde gagnait de nouvelles statues ou s'en dépouillait définitivement, le fronton de l'Assemblée nationale, lui, changeait d'apparence au gré des bouleversements politiques : à l'origine, y était représenté un Napoléon à cheval remettant les drapeaux conquis à Austerlitz au corps législatif; au lieu et place de ce bas-relief, la Restauration fera réaliser une scène en l'honneur de la Charte constitutionnelle de 1814; œuvre elle-même remplacée sous la monarchie de Juillet par une allégorie représentant la France debout devant son trône, entourée de la Force et de la Justice. Depuis la monarchie de Juillet, aucune modification n'a plus été apportée à ce fronton, et si la France perdit un bras en 1957, ce fut la conséquence d'un violent orage et non celle de quelque attentat politique. On fit restaurer au plus vite le membre manquant !

Sous le Second Empire, les nouvelles rues de Paris ont pour noms Ulm, Austerlitz, Roi-de-Rome, Famille-Impériale…

Chose curieuse, tous les maréchaux d'Empire ainsi qu'un certain nombre de batailles remportées par Napoléon Ier ont donné leur nom à une artère de la capitale, mais aucune rue n'a pris celui de Napoléon. Certes, il existe une rue Bonaparte, mais ce patronyme est celui du jeune général de l'armée d'Italie et du Premier consul, pas celui de l'Empereur ! Qu'importe ! Napoléon n'a pas besoin d'une avenue à son nom, il est présent partout dans Paris ! C'est peut-être même le personnage de notre histoire le plus évoqué dans notre ville, entre les arcs de triomphe des Champs-Élysées et du Carrousel, la colonne Vendôme, la batterie triomphale devant les Invalides…

Son successeur, l'empereur Napoléon III, n'a pas été aussi bien traité par la postérité : en effet, si l'on peut trouver dans Paris, notamment au Louvre et à l'Opéra, des exemples du plus pur style « Napoléon III » ainsi que des ponts (comme le pont de l'Alma), il n'y a dans tout Paris qu'une seule et unique statue représentant Napoléon III.

Celle-ci n'est d'ailleurs pas facile à dénicher : elle se trouve sur le fronton du pavillon Denon au musée du Louvre, c'est une œuvre de Pierre Simart intitulée *Napoléon III entouré de la paix et des arts.* Non loin de là, il y eut aussi un bas-relief en bronze, œuvre d'Antoine Barye, représentant Napoléon III à cheval. Créé pour agrémenter les guichets du Louvre, il fut déboulonné le 10 septembre 1870, quelques jours à peine après la reddition de Sedan et la proclamation de la République (4 septembre 1870). Ce *Napoléon III à cheval* ne resta donc à cette place que deux ans !

Autre monument parisien à avoir connu des déboires bien particuliers : la colonne Vendôme. À l'origine, sur la calotte terminale fut juchée la statue de Napoléon en costume du sacre, une victoire dans la main par Chaudet. Elle demeura en place cinq ans. Après quoi, la Restauration lui substitua une fleur de lys à quatre faces, portée par une longue flèche à laquelle était adapté un drapeau blanc.

Dès 1830, le drapeau se colora, puis disparut trois ans plus tard, cédant la place à la statue de Napoléon au petit chapeau et à la redingote grise de Seurre.

Vint Napoléon III, et le remplacement de son oncle en petite tenue par une réplique de la statue primitive.

Enfin, on le sait, la colonne Vendôme fut abattue sous la Commune : « La tête couronnée de lauriers a roulé comme un potiron jusqu'à la bordure du trottoir. » Au lendemain de la Commune, le peintre Courbet, tenu pour responsable de sa destruction alors qu'il s'était contenté de proposer son déplacement aux Invalides, fut condamné à faire édifier une nouvelle colonne à ses frais. Ses biens furent mis sous séquestre et ses toiles confisquées. Il aurait dû passer trente-trois ans à rembourser 1 000 francs par an, mais il mourra avant même d'avoir pu honorer la première traite.

Sous la Commune, il y eut aussi un drapeau rouge en haut du Panthéon. Paradoxalement, ce « Saint-Denis laïc et républicain » a toujours conservé une croix au faîte de son lanternon, alors que la Madeleine qui, elle, est toujours une église, en est dépourvue ! À l'intérieur de l'église de la Madeleine repose d'ailleurs le malheureux abbé Deguerry, curé de la Madeleine fusillé en 1871 par la Commune dans la maison des otages de la rue Haxo ; de son vivant, il n'avait cessé de demander à la ville de Paris, propriétaire de l'église depuis mars 1842, que celle-ci soit dotée d'une croix. Quant au Panthéon, d'après les bigotes du quartier, si sa croix est toujours là, c'est « parce qu'on n'avait pas réussi à la retirer ».

Parmi les autres décorations ou modifications provisoires apportées à un monument ou un autre, nous avons déjà cité la statue représentant Strasbourg sur la place de la Concorde, statue recouverte d'un voile noir durant toute la période où l'Alsace-Lorraine fut allemande. Citons aussi le *Lion de Belfort,* dont on voulait initialement qu'il regardât à l'Est, faisant ainsi face à l'Allemagne, mais dont on jugea finalement plus prudent qu'il regardât dans la direction opposée pour ne pas sembler braver l'ennemi héréditaire.

Les modifications de ce genre dans Paris furent légion. Nous citerons pour finir, l'une des plus touchantes d'entre elles peut-être, parce que l'une aussi des plus éphémères : au cours du siège de Paris par les Prussiens, pendant l'hiver 1870-1871, au lieu de l'actuel stade Charlety, 83, boulevard Kellermann (13e arr.), se trouvait l'emplacement du bastion 85. Le sculpteur Alexandre Falguière, mobilisé comme garde mobile, est alors chargé de monter la garde sur les fortifications. C'est dans ces circonstances qu'il va réaliser une sculpture de neige intitulée *La Résistance* : il s'agit d'un nu assis sur un canon. Cette œuvre lui vaudra la Légion d'honneur.

Une statue de neige ? Nous n'avons donc aucune idée de ce à quoi elle pouvait ressembler ? Eh bien si, car, par chance le sculpteur en réalisa par la suite quelques copies.

Où donc peut-on les voir ?

Au Los Angeles County Museum, mais aussi sur la tombe du Dr Lucio y Lopez, dans le cimetière de la Recoleta à Buenos Aires ! Et rassurez-vous, beaucoup plus près de chez nous, à Paris, puisqu'il en existe un exemplaire au Petit Palais, et une cire verte au musée Carnavalet.

Lutèce bobo

Bien que Rennes (*Condate*) soit la grande ville la plus fréquentée par Astérix et Obélix, les deux amis se rendent tout de même plusieurs fois à Lutèce, alors supplantée par Lyon (*Lugdunum*) comme capitale des Gaules. La première fois qu'ils y mettent les pieds, c'est en compagnie du druide Panoramix dans *La Serpe d'or*. Dans *Le Tour de Gaule,* ils y font halte pour se procurer la grande spécialité gastronomique locale : le jambon de Lutèce ! Les deux Gaulois sont effarés par l'agressivité des Lutéciens dans les embouteillages, où l'on s'apostrophe à coups de : « Moi, j'travaille », et de noms d'oiseaux tels que « crétin, idiot, abruti ! » Selon l'expression empruntée à Michel Audiard, conduire à « Lutèce » est déjà… une question de vocabulaire !

Dans tous les albums d'*Astérix* où il est question des Lutéciens, ils sont présentés comme parfaitement snobs et condescendants. Dans *Les Lauriers de César,* Homéopatix, beau-frère d'Abraracourcix, lui déclare : « On ne peut vivre qu'à Lutèce ; le reste de la Gaule, c'est bon pour les sangliers. »

Autres figures de bobos lutéciens : Goudurix, jeune homme arrogant d'*Astérix et les Normands,* qui débarque en char de course et traite de « ploucs gaulois » les habitants du village ; Brunococatrix, patron de l'*Olympix,* ou encore Maestria qui organise un défilé de mode du couturier Diorix et chante à tue-tête : « Lutèce, c'est une blondeueu ! »

Enfin, rendons-leur tout de même justice ; certes, Astérix et Obélix n'aiment guère Lutèce, mais au moins l'ont-ils visitée ! Tintin et le capitaine Haddock, eux, n'ont jamais mis les pieds à Paris et ne connaissent de la France que Saint-Nazaire et La Rochelle !

Légendes parisiennes

Il était jadis courant, dans les églises et les cathédrales, de voir suspendus des objets singuliers tels que des œufs d'autruche, d'étranges animaux empaillés ou autres bizarreries. Par cette pratique, on voulait attirer les curieux dans les lieux saints. À Saint-Denis et à la Sainte-Chapelle, on conservait des côtes de baleines, des ongles de griffons et des concrétions mal identifiées. Au Petit-Saint-Antoine, une chapelle qui se trouvait non loin de l'actuelle église Saint-Paul, on pouvait admirer le cuir d'un crocodile rapporté de Venise sous le règne de François Ier.

Autre légende de la même eau, on disait que l'on pouvait voir dans Paris une peau de dragon et une corne de licorne. La corne de licorne est toujours « parisienne » : c'est un rostre de narval exposé au musée du Moyen Âge. Quant à la peau de dragon, le chroniqueur Jean de Jandun raconte qu'il s'agissait en fait d'une grande peau de serpent suspendue à la voûte dans la grande salle du parlement de Paris ; les guides prétendaient que c'était là tout ce qu'il restait d'un dragon monstrueux vaincu par Godefroi de Bouillon ! Nul ne songe ici à épingler la naïveté de nos aïeux qui crurent dur comme fer avoir contemplé des oripeaux de dragon. Après tout, le grand Dominique Vivant Denon, premier directeur du musée du Louvre que Goethe surnommait « l'œil de Napoléon » parce qu'il raffolait des objets historiques, fit convoyer jusqu'à Paris le harnais de Godefroi de Bouillon confisqué au musée de l'Artillerie de Vienne, mais aussi le bouclier et le poignard d'Attila. Une expertise entreprise ces dernières années a établi que ces objets dataient du XIVe siècle. Attila est mort en 453 : cherchez l'erreur !

Enfin, à tout seigneur tout honneur, l'auteur de ces lignes doit bien convenir qu'il fait aussi partie de ces « gogos » qui, tels saint Louis et Vivant Denon, prirent leurs rêves pour des réalités.

Feuilletant un exemplaire du *Monde Illustré* (journal publié à la fin du XIXe siècle), je tombai sur l'un des articles de la série consacrée par G. Lenotre aux musées parisiens oubliés. Lenotre y écrivait que l'on avait conservé un psautier de saint Louis, ainsi que le légendaire manteau de soie mauve fleurdelisée d'or avec lequel le saint monarque rendait la justice sous un chêne dans le bois de Vincennes. L'article datant des années 1890, il semblait évident que cet objet devait encore exister. Je contactai donc plusieurs musées parisiens afin d'en savoir davantage. Finalement, je découvris que le psautier en question existait bien encore et qu'il était conservé à quelques minutes de chez moi, à la bibliothèque de l'Arsenal. Seulement, vérification faite auprès de l'un des conservateurs, s'il s'agissait effectivement du psautier de saint Louis, le tissu de soie, lui, n'avait strictement rien à voir avec la tunique tant espérée.

Quelle déception ! Heureusement, tout n'est pas perdu, on vient de m'apprendre de source sûre que l'un des barreaux de la grille du jardin du Luxembourg serait en or !

Table des matières

Achevé d'imprimer par GGP Media GmbH, Pößneck
en juin 2013
pour le compte de France Loisirs,
Paris

N° d'éditeur : 73179
Dépôt légal : juillet 2013
Imprimé en Allemagne